〔白版〕

哲学JAM《ジャム》

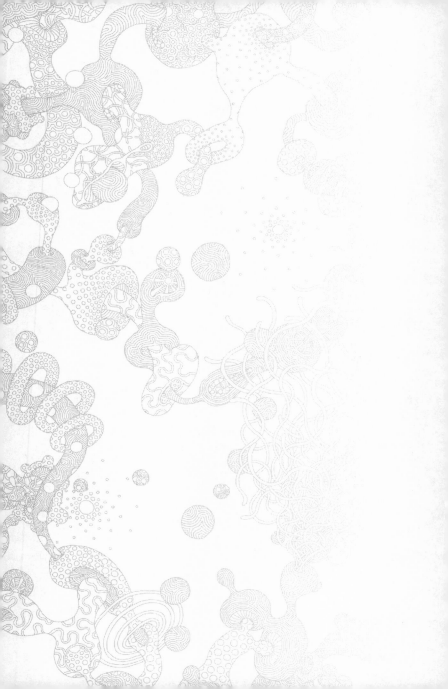

〔白版〕

哲学JAM《ジャム》

仲正昌樹

現代社会をときほぐす

共和国

目次

仲正昌樹と現代を考える
哲学JAM
philosopher
Masaki Nakamasa
Labor and Work
Gender
ジェンダー
Economic Disparity
Individual and Nation
Despotism
Religion
SNS
AI
Anti-intellectualism
Fake News
フェイクニュース
会場> 石引パブリック
会費> 1,000円(1drink付)
定員> 各回 25 名
SESSION 09 2019 10.19 sat
SESSION 10 2019 11.16 sat
SESSION 11 2019 12.21 sat

仲正昌樹と現代を考える

「哲学ジャム」（全11回）

グローバル化が進む現代の世界は、複雑化し、答えを簡単に見いだせない問題が多くなっています。いまわたしたちが直面するそれらの問いにどのように向き合い、解決策を見いだせばいいのか。日本を代表する哲学者・仲正昌樹先生と、コーヒーを片手に根源から哲学的に考え、未来を生きぬくヒントを見つけたいと思います。お気軽にご参加ください

仲正昌樹

（なかまさ・まさき）

哲学者（金沢大学法学類教授）

1963年、広島県呉市生まれ。東京大学大学院総合文化研究科地域文化研究博士課程修了（学術博士）。専門は、法哲学、政治思想史、ドイツ文学。難解な哲学書を分かりやすく読み解くことに定評があり、ＮＨＫの『１００分de 名著』にハンナ・アーレント『全体主義の起源』の解説で出演した。著書に『危機の詩学―ヘルダリン、存在と言語』（作品社）、『歴史と正義』（御茶の水書房）、『今こそアーレントを読み直す』（講談社現代新書）、『集中講義！日本の現代思想』（ＮＨＫ出版）、『ヘーゲルを越えるヘーゲル』（講談社現代新書）など多数。訳書に『完訳カント政治哲学講義録』（ハンナ・アーレント著、明月堂書店）などがある。著書（共著含む）、翻訳は８０冊以上に上り、現代の日本で最も精力的に言論活動をしている哲学者の一人。

SESSION 09　10.19（土）＞ 宗教と哲学 ～宗教は現代人にも必要か

SESSION 10　11.16（土）＞ 戦争と哲学者 ～哲学は戦争を止められるか

SESSION 11　12.21（土）＞ 資本主義と哲学　～資本主義は終わるのか

各回 17時スタート

Time Schedule

●16:30～ 開場 ●17:00～ 講義
●18:00～ 質疑＆議論

TEXT 参考文献 ＞＞

★印の参考文献は石引パブリックで販売しております。

参加するにあたり知識の前提としておススメする本　★『もういちど読む 山川倫理』（山川出版社）

さらに講義の理解をより深めたい方はコチラ！

SESSION 09

★『カラマーゾフの兄弟』（上・中・下）ドストエフスキー（新潮文庫）
★『新版 光の子と闇の子―デモクラシーの批判と擁護』ラインホールド・ニーバー（晶文社）
◇『宗教的経験の諸相 上・下』W.ジェイムズ（岩波文庫）
◇『民主政の不満 上/下―公共哲学を求めるアメリカ』マイケル J.サンデル（勁草書房）
◇『自然主義と宗教の間 哲学論集』ユルゲン ハーバーマス（法政大学出版局）
◇『公共圏に挑戦する宗教―ポスト世俗化時代における共棲のために』ユルゲン・ハーバーマス他（岩波書店）

SESSION 10

★『自由からの逃走 新版』エーリッヒ・フロム（東京創元社）
◇『政治的なものの概念』カール・シュミット（未来社）
◇『全体主義の起原 1・2・3【新版】』ハンナ・アーレント（みすず書房）
◇『正しい戦争と不正な戦争』マイケル・ウォルツァー（風行社）
◇『万民の法』ジョン・ロールズ（岩波書店）
◇『世界正義論』井上達夫（筑摩書房）

SESSION 11

★『マルクス・エンゲルス 共産党宣言』マルクス／エンゲルス（岩波文庫）
★『ルイ・ボナパルトのブリュメール十八日』マルクス（岩波文庫）
◇『消費社会の神話と構造 新装版』ジャン・ボードリヤール（紀伊國屋書店）
◇『逃走論―スキゾ・キッズの冒険』浅田 彰（ちくま文庫）
◇『民主主義の革命―ヘゲモニーとポスト・マルクス主義』エルネスト・ラクラウ、シャンタル・ムフ（ちくま学芸文庫）
◇『マルチチュード 上・下』アントニオ・ネグリ，マイケル・ハート（NHKブックス）
◇『〈帝国〉グローバル化の世界秩序とマルチチュードの可能性』（以文社）
◇『ポピュリズムの理性』エルネスト・ラクラウ（明石書店）
◇『左派ポピュリズムのために』シャンタル・ムフ（明石書店）
◇『時間かせぎの資本主義―いつまで危機を先送りできるか』ヴォルフガング・シュトレーク（みすず書房）
◇『MMT現代貨幣理論入門』L・ランダル・レイ（東洋経済新報社）

BOOKS & PRINTING
Public

会場：本と印刷 石引パブリック（金沢市石引2丁目8-2）　会費：1,000円（1drink付）　定員：各回25名
ご予約・お問合せ：tel.076-256-5692　ホームページ https://www.ishipub.com

✦本書は、金沢市の書店「石引パブリック」で開催された一一回の連続講座を書籍化したもので、全三巻のうち最終巻にあたります。

✦本書には、第八回（二〇一九年九月二一日）、第九回（同一〇月一九日）、第一〇回（同一一月一六日）、第一一回（同一二月二一日）を収録しました。本文中の事件や肩書きなどは、とくに断りがないかぎり、イベント開催当時のものです。

✦脚注や巻末のブックガイドは編集部が作成し、著者の校正を経ましたが、文責は編集部にあります。

第8講

哲学とエロス

身体と欲望にどう向き合うか

2019年9月21日

プラトンの「エロス」

「エロス」という言葉や概念には、「愛」と「性欲」と両方のニュアンスがありますね。哲学とエロスはあまり縁がないように見えて、実は哲学の始まりから現代まで、非常に深い関係にあります。不思議な関係にあるんですが、今日はその関係を考えていきたいと思います。

哲学史を勉強された人であれば、「プラトンの哲学におけるエロス」というテーマを耳にされたことがあるでしょう。プラトン★の『饗宴』の原題は、シンポジウムという言葉の語源になったシンポジオン（symposion）です。岩波文庫に入っていますが、短くて、本文一六〇ページくらいですね。

この『シンポジオン（饗宴）』は、ソクラテス★の言動をプラトンがフィクションを交えて再現した対話篇の一つです。ソクラテスのことを書いたプラトンの著作で一番よく読まれているのは、おそらくソクラテス裁判での彼の答弁を再現し

★プラトン
前四二七〜前三四七。古代ギリシャの哲学者。ソクラテスの弟子、アリストテレスの師。『ソクラテスの弁明』『国家』などの著作がある。

★ソクラテス
前四六九〜前三九九。古代ギリシャの哲学者。釈迦、キリスト、孔子と並ぶ四聖人。本人の著作はなく、交流があった人物が書き残したものによってその哲学や思想が現在に伝わっている。

た『ソクラテスの弁明』でしょう。岩波文庫では、これと、死刑になったソクラテスと、彼に脱獄するよう説得する友人クリトンとのやりとりを描いた『クリトン』が一冊になっています。『弁明』＋『クリトン』に次いで、ソクラテスの著作として一般的に知られているのは、『饗宴』ではないでしょうか。この三つは短くて手頃ですし、ベースになっている物語が分かりやすくて面白いので、よく読まれていると思います。高校の倫理の教科書では、この三冊と、『国家』で展開される「哲人王」の話を合成した形で、ソクラテスとプラトンの思想が紹介されています。『饗宴』は、食事の場、饗宴での討論に参加した人たちが「エロスとは何か」をテーマに議論します。

いろいろな人がしゃべるのですが、一般的にはアリストファネス★の語ったことと、ソクラテス自身が語ったことがよく知られています。アリストファネスについては、前回前々回の講義（第二巻［青版］参照）で何度も名前が出てきましたね。ソクラテスと同時代の喜劇詩人です。ギリシャで喜劇が本格的に様式化されたのはソクラテスの時代で、アリストファネスはソクラテスを、虚言を弄するソフィストの一人と見なして風刺する『雲』という作品を書いています。『饗宴』では、そのアリストファネスが「愛（ἔρως、erōs）」をテーマとするシンポジオンに参加し、有名な「アンドロギュノス」論を展開します。

★ アリストファネス
前四四六頃—前三八五頃。古代アテナイの喜劇詩人。代表作に『鳥』『女の平和』『蛙』など。

アンドロギュノスというのは、雌雄同体という意味です。といっても、本当に生物的な意味での雌雄同体ではありません。アリストファネスが「エロス」の本質をうまく説明するために思いついた創作神話上の存在です。太古において人間は、二つの体がわれわれの背中に相当するところでくっついた、球体のような体をしていたとされます。したがって頭が二つあって、手足は四本ということになります。男男、女女、そして男と女の三種類の組み合わせがありました。球体であった彼らは気概があり、優れた存在だったので、やがて傲慢になり、神々に反乱を起こします。それに対してゼウスが、彼らの体を背中に当たるところで真っ二つに切って罰します。真っ二つになっても、本来の形に戻ろうとして引き合う。それが「愛（エロス）」だというわけです。男女の愛は、もともと男と女の雌雄同体の「アンドロギュノス」が引き合うためで、元が男－男あるいは女－女の組み合わせだった場合、同性で引き合います。「アンドロギュノス ἀνδρόγυνος (andrógunos)」というのは、「男性」を意味する〈ἀνήρ（anér)〉と「女性」を意味する〈γυνή（gyné)〉を合成した言葉です。ゼウスは、半身に分かれて互いに焦がれる人間たちを憐れんで、性器を体の前に付けてやって、交わった瞬間に球体に戻り、その子孫を残せるようにしてやった、ということです。

後でまた話しますが、古代ギリシア・ローマでは、行為としての同性愛はそれほど珍しくなかったと言われています。アリストファネスの話は面白くて、本来の完全な姿に戻ろうとする欲求が愛だと言っている点で、本質を突いているように見えますが、この話だと、「愛」はセックスによって一応充足されることになり、「愛」が求めている理想状態は、セックスで交わった状態が持続することだということになりますが、だとすると、精神的な要素があまり入りませんね。

アリストファネスを含む五人の参加者が、神話や慣習に基づいて「愛」のすばらしさについて論じたあと、ソクラテスが名指しされます。この饗宴が行なわれたとされたとき（紀元前四一六年）、五十代半ばになっていたソクラテスは、彼自身の意見としてではなく、彼がまだ青年だったときに出会った、マンティネイアというポリス出身の巫女みたいな女性ディオティマ（*Διοτίμα*、Diotima）に教えてもらったことだといって語ります。ディオティマは、この『饗宴』にしか登場しないので、歴史的に実在したか確かではありませんが、誰かモデルがあったのではないかと研究者の間で議論になっているし、かなり印象的な人物なので、ヨーロッパのいろんな文学作品に、ディオティマという名前の女性が登場します。ギリシア独立戦争を背景にしたヘルダリン★の小説『ヒューペーリオン』のヒロインも、ディオティマという名前です。

　プラトンの対話篇は、そもそもがプラトン自身の考えをソクラテスの口を借りて再現するものですが、作品の構成として、ソクラテスと誰かの対話を、何年か後になってその場に居合わせた人たちが思い出す、という設定のものがいくつかあります。『饗宴』もそうですが、その作品の中で、主人公が自分の考えではなく、さらに他の人の言葉を再現するという二重、三重の記憶による再現という形を取っているわけです。これは文学の手法としてよく使われますね。いろんな効果が考えられますが、発言内容、報告内容に対して語り手がのめり込み過ぎないように距離を置く、あるいは距離を置いているように見える、という効果がベースにあるでしょう。このディオティマの場合は、ソクラテスの主観ではなく、神がかった言葉、神に近い悟った人の言葉のように響かせる効果があるのではないかと思います。

　それまでの話者たちは、「エロス」は偉大な「神 θεός（theós）」で「美しい」というのが前提になっていましたが、ディオティマが語ったところによると、エロスは「神」ではなく、美しくありません。神と人間の間に位置する「神霊 δαίμων

★ヨハン・クリスティアン・フリードリヒ・ヘルダリン
一七七〇～一八四三。ドイツ・ロマン派と同時代の詩人、思想家。代表作に、小説『ヒューペーリオン』、戯曲『エンペドクレス』など。統合失調症により、後半生は塔の中で暮らした。

(daímōn)」です。「ポロス」と「ペニア」から生まれたということです。「ポロス Πόρος (póros)」は、「豊かさ」とか「充実」「好都合」を意味する「ポロス」を擬人化した存在です。「ペニア Πενία (penía)」は女性の神ですが、いつも欠乏しているので、ポロスと交わって豊かになろうとしていました。その「ペニア」が、美の神アフロディテが誕生することを祝う神々の饗宴に呼ばれて参加しようと駆けつけ、ポロスが寝ているのを見つけ、すきを狙って交わりました。「ポロス」には「穴」という意味もあります。そのとき生まれたのが「エロス」です。これも神話としては面白いのですが、これだけだったら、ただのエロ話です（笑）。ディオティマを入れたのは、こういう話をもっともらしく話すとソクラテスらしくないので、他人から聞いたことにしたのかもしれません。

ギリシャ神話では、神様の名前に「大地」とか「天」「時」「愛」「死」「法」「正義」といった抽象なものを表す名詞を使って、彼らの振る舞いややりとりについての物語を通して、世界を動かしている法則や教訓を寓意的に表現するということがあります。ディオティマの話がどういう寓意になっているかというと、「エロス」は、欠乏した状態と豊かな状態の中間にあるということです。神々のような豊かさに上昇していく過程にあるわけです。ただし、「エロス」自体は神ではありません。通常のギリシア神話では、エロスは一人の神として表象され

るここと が多いのですが、ディオティマの神話では、さきほどお話ししたように、「ダイモーン」と呼ばれています。daimon というのは、英語の demon の語源にあたります。ソクラテスは、正しくないことをしそうになると、「ダイモーン」の警告の声が聞こえてくると言っています。「ダイモーン」は、神的な霊ではあるけれど、神そのものではない。「エロス」というダイモーンは、欠乏状態から出発して、充実した状態に至るべく常に努力しています。

「エロス」とは何か

プラトンにとってこの物質的世界は仮の世界です。本来の世界は、イデア＝理想の世界で、そこには「知（ソフィア）」によってしか到達できません。エロスというのは、自分の不完全で欠乏した状態であることを自覚して、「知」によって、善きもの、美しきものによって満ち足りた世界、イデアの世界を求める存在です。「哲学」を意味するギリシア語 φιλοσοφία（philosophia）は、「知 σοφία（sophía）」への「愛」が本来の意味です。その意味で、「哲学者 φιλόσοφος（philosophos）」は「エロス」に取り憑かれた存在です。むろん、あらゆる人間が「エロス」に憑かれているわけですが、「哲学者」は、個別の「善いもの」や「美しいもの」ではなく、「善」や「美」それ自体、つまりそれらのイデアを探究し、知ろうとする、最もエロティックな存在ということができます。混乱を避けるために言っておきますと、英語の love 相当するギリシア語には、「エロス」のほかに、単に「好むこと」「友愛」を意味する〈φιλία (philia)〉、キリスト教で神から人間への一方的で無条件な愛を意味する〈αγάπη (agápē)〉、家族愛を意味する〈στοργή (storgḗ)〉の四つがあります。「アガペー」はキリスト教以前は使用される例があまりなかったようですが、それが初期のキリスト教の教父たちには、他の人間的な「愛」と区別するうえで都合良かったようです。

「エロス」を「哲学=愛知」と結び付けて説明すると、みなさんの多くがイメージするエロスとかけ離れていると感じますね。ある意味それと同じように、当時の普通のギリシャ語では、「エロス」は直接的には、恋愛とか愛欲の意味で使われていたので、こんな高尚な話をされても、普通の人は、私たちの知っているエロスとは全然関係ないと感じたことでしょう。そのギャップをディオティマがどう説明しているかというと、まず、エロスと「生殖 γένεσις (génesis)」が結び付いているのは、他の動物と同じように人間も「不死性 ἀθανασία (āthanasíā)」を求めているからだ、と説明します。自分の分身を残すことを通して永遠の生命に参与するということです。人間の場合、単に「生殖」で子孫を残すだけでなく、死後に名声を残すような形で、他者の記憶において「不死」であることも求めます。単に記憶されるというだけでなく、自分が人生をかけて身に付けた「徳 ἀρετή (aretḗ)」や美しい「思想 λόγος (lógos)」を、若い人の魂に植え付けようとします。精神的な意味での「生殖」を探究するわけですね。この理屈によって、同性愛、特に成人男性の若者に対するエロス的関係、少年愛を、精神的な生殖として間接的に正当化するわけです。

こうした繋がりを通して、人間の中の「エロス」は次第に目覚め、本来目指すべきものに向かうようになります。最初は、物理的に刺激を与えてくれる視覚的に美しいものに憧れる。しかし「美しい身体」をじっくり観察しているうちに、それらに共通する美の本質を見出し、より本質的で精神的な美へと関心を移していきます。「美しい身体」→「美しい職業活動」→「美しい学問」→「美の本質」というように。「美の本質」、美のイデアを認識するのは「哲学」です。こういうふうにして、エロスが性的な刺激から非常に高尚で精神的なものまで、すべてカバーしていることの説明がつきます。

このようにソクラテスは、ディオティマの言葉を再現する形で持論を展開します。それで終わっていれば、それがソクラテス＝プラトンの「エロス」観ということで確定するのでしょうが、ソクラテスが語り終わったところで、アルキビアデス★が乱入してきます。アルキビアデスは、アテネのいわゆるポピュリストの政治家で、アテネの民主主義が危機状態に陥ったとき、弁舌力を駆使して対外戦争に人びとを動員し、影響力を発揮します。政争で失脚し、敵国スパルタに亡命しますが、祖国の混乱に乗じて帰国し、アテネ軍を率いてスパルタを破りますが、最後は暗殺されます。その彼が乱入して来て、私はソクラテスを愛してる、と言うんですよね。

さきほどお話ししたように、「饗宴」が行なわれたとき、ソクラテスは五十代半ば、アルキビアデスはそれより二十歳くらい若くて、三十代半ばです。もう中年ですが、少し前は、少年愛の対象として大人たちから追い回される美少年だったようです。

アルキビアデスによると、ソクラテスは、半分人間で半分馬のシーレーノスに似ています。シーレーノスは通常、禿げた肥満体で、唇が薄く、鼻はずんぐりした姿で、要するに不細工な中高年の姿で描かれます。現代日本のサブカルでは、美少年は自分に似たタイプの美少年に憧れるというBL的な光景がイメージされることが多いですが、アルキビアデスは、自分に対してつれないそぶりをする不細工なソクラテスを自分のものにしたいと思って何回か誘惑した、という話を始

★ アルキビアデス
前四五〇頃〜前四〇四。ソクラテスの弟子で、アテナイの政治家、軍人。

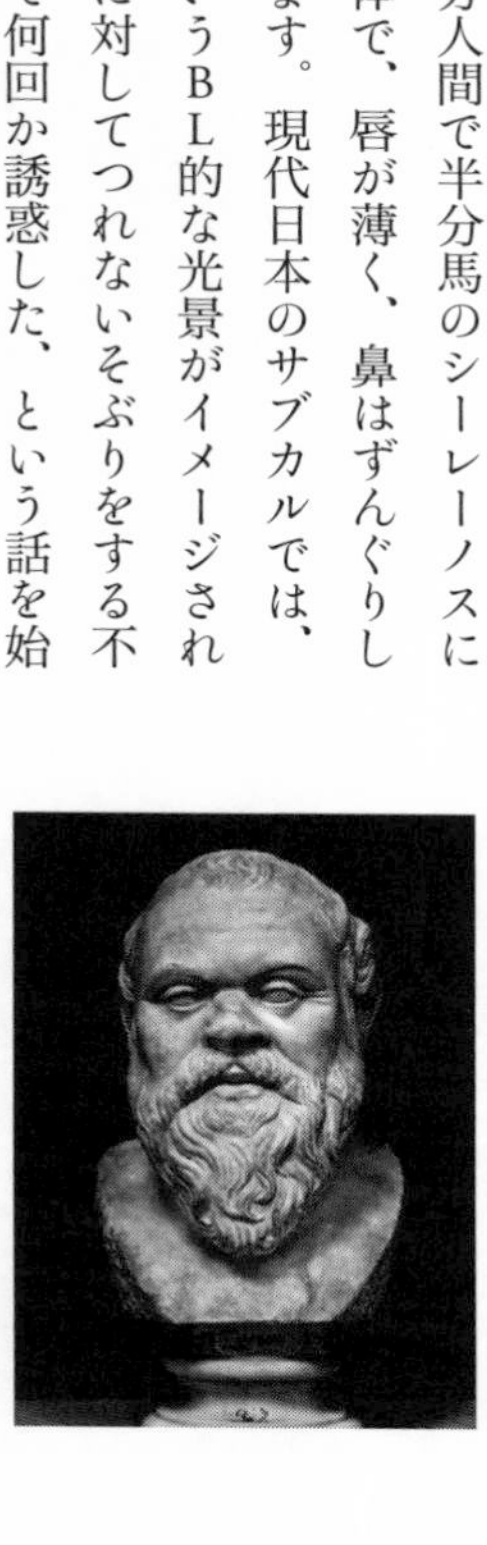

ソクラテス

めるんです。自分は美少年なので、傍に寄っていくだけでだいたい相手の方が魅了されるので、ふつう苦労はしない。しかしいろいろ仕掛けたけど、思ったほどその気になっている様子はない。そこでソクラテスをどうしても自分のものにしたくて無理やり彼と二人切りになったけど、彼はさきほどのディオティマの議論のように、君は君自身の現在の美しさの背後にある、より本質的な美を求めているのだね、という感じで、アルキビアデスから見ると、はぐらかすようなことを言います。そこで我慢できず、一緒に一晩寝ることにし、両腕を彼の体に巻き付けることまでしたけど、彼は全然自分の美しさに魅了されておらず、平然としているように見えたと証言します――アルキビアデスは、父や兄と寝たのと同じような感じだったという言い方をして、セックスをしたことを暗に否定していますが、実際にセックスしたと解釈している人も結構います。

アルキビアデスにとっては非常に屈辱的でしたが、それでかえってソクラテスに強く惹かれるようになった。彼はその後、ソクラテスと一緒の戦場で闘うなどして、彼が肉体的にも勇気の面でもすごい人であることを実感したと述べています。それは紀元前四三〇年のポティダイアの戦役と呼ばれるもので、『饗宴』が行なわれた年の十四年前なので、一緒に寝たときはアルキビアデスは二十歳前くらい、ソクラテスは、四十歳になる少し前くらいということになります。

アルキビアデスはそうやってソクラテスの内なる「徳」に魅せられ、恋焦がれる状態に置かれたと恨み言まじりに告白・賛美した後、みんなを愛するふりをしながら、愛される側に回って誘惑するソクラテスに君たちも注意したまえと警告して、演説を終えます。その後、ちょっとしたハプニングがあって『饗宴』は終わります。

こうした終わり方をしていることの意味をどう考えるかですよね。話を文学として面白くするためにプラトンが付け加えただけとも考えられますが、アルキビアデスの演説はかなり長いですし、アルキビアデスを、さえない中年男にふられた美女のように描くやり方がかなりリアルです。ソクラテスが仙人みたいなキャラクターだったら、ありがちの教訓話になったかもしれませんが、彼は兵士としてすぐれているし、レスリングでもアルキビアデスといい勝負をするみたいだし、何より、日常的に美少年に夢中だということになっています。本当に美少年が外見的に好きなのか、将来ポリスの将来を担う彼らの魂に働きかけたいのか、よく分かりませんが、結果的に、対話の相手として「美少年」を選んでいるとすれば、哲学的に無意味なことではないように思えます。『リュシス』という対話篇では、ソクラテスは、恋し合う美少年たちと、「エロス」的なニュアンスの強い「フィリア」について語り合っています。哲学者の「エロス」は実は、「少年愛」と深いところで繋がっているのかもしれません。

ソクラテスの物語にはディオティマという女性が出てきますが、「饗宴」の参加者は全員男です。当時のギリシア社会の社会秩序や価値観・慣習からすると、ソクラテスの対話の登場人物が男ばかりになるのは当然ですが、男同士の会合で、長椅子に横たわりながら「エロス」について語り合っているのですから、何となくホモソーシャルな感じがしますね。それまでは誰もその妙な雰囲気に言及していなかったけど、アルキビアデスが露骨なことを言ったので、雰囲気が騒然としたものになったのかもしれません。その家の主人で、悲劇詩人のアガトンがアルキビアデスの話に刺激を受けたように、ソクラテスの傍に行こうとしますが、それに対してアルキビアデスが、君は僕たちの間を引き裂こうとするのか、と言って阻止しようとし、ソクラテスを取り合うような感じになります。こういうシーンが出てくると、他の対話篇のテクストでも、哲学的な難しいやりとりの背後で、エロティックな駆け引きがあったのではないか、と邪推したくなりますね。そういうことは、ギリシャ哲学を専門にしている人が昔から指摘していて、こうした視点から、ソクラテス=プラトンの思想を解釈する議論もあります。

では、どういう風に関係付けることができるか。「エロス」の究極の形が「フィロソフィア」だとしても、さきほどお話ししたように、いきなり美や善のイデアの世界に飛んでいくことはできないので、身体的なレベルでのエロスを十分に堪能する必要があるのではないか。日常生活の中でエロスの経験が豊かでないと、精神的なイデアの世界に飛んでいく力が不十分かもしれない。男女の方が生殖のための組み合わせかもしれませんが、それだと身体レベルのエロスに留まってしまいそうなので、男同士の方がいいかもしれない。そういう理屈をつけることはできそうです。むろんその場合、女同士だとどうなるのか、男同士と同じか、という疑問は残ります。

こういうことについて突っ込んで考えた現代の思想家がいます。フランス現代思想の代表的な哲学者ミシェル・フーコー★はご存じでしょう。私は東京で、これと並行して別の連続講義をやっていますが、そちらではフーコーの晩年の著作を集中的に読解しています。フーコーは、『監獄の誕生』『狂気の歴史』『臨床医学の誕生』などの著作で、近代人の日常に浸透し、人びとの行動をミクロレベルで支配する知や権力の諸形態について分析しています。フーコーは、「知」はニュー

★ ミシェル・フーコー
一九二六〜八四。フランスの哲学者。知、歴史、権力、性など、現代思想や人文学に最も影響を与えた思想家の一人。主な著作に『狂気の歴史』『言葉と物』『監獄の誕生』『知の考古学』『性の歴史』など。

トラルなものではなく、人の行動を規制する権力と不可分に結び付いているという前提で、医学や精神医学がどのように私たちの身体に対する態度や異常者とされる人に対する扱い方を変化させ、監獄で確立された監視システムがいかに社会全体の管理に応用されているか、といった形でピンポイントに論じていきます。フーコーは自分が同性愛者であることを公言しているので有名でしたが、哲学的な主要著作の中では直接的に自分のことは語らず、淡々と史料に基づいて記述していく感じです。

そのフーコーの最晩年の著作に『性の歴史』という三巻本があります。「性」の問題が西欧社会の倫理や生活様式にどのような影響を与え、「主体」のイメージに寄与してきたかを論じた著作です。「性の歴史」というより、性の問題から見えてくる西欧的人間観、「人間」をめぐる言説の歴史です。

第一巻の『知への意志』は、近代的な性の言説をテーマにしています。一九世紀のヴィクトリア朝時代に、性に関わる科学的な――本当は厳密に科学と言えるかどうかわかりませんが――言説が急速に膨らんでいった過程が描き出されています。歴史的なことをほとんど知らない人は、性に関するタブーは昔からあると思いがちですが、ある程度西欧の歴史を知っている人は、昔は意外とあっけらかんとしていて、ヴィクトリア朝時代に家庭教育などでやたらと厳しい規範ができ

あがり、性に関して大っぴらに語るのがタブーとされるようになったと考えているのではないかと思います――メイド服というのは、ヴィクトリア朝のメイドさんの服装をイメージした衣装です。しかし、フーコーによると、性を語るのがタブー視されたのではなく、むしろ逆に、この時代に性に関する科学的言説、医学や心理学の言説が次第に増殖し、議論が盛んになり、世紀末になると精神分析が登場します。いきなり禁止するのではなく、人びとの関心を性に惹きつけ、性に関する謎解き合戦をさせ、結果的に、子供たちの性衝動を早くから目覚めさせるのは危険だという風潮が生み出したわけです――ヴィクトリア朝時代は、シャーロック・ホームズやドラキュラ★の時代でもあります。フーコーの当初の計画だと、そこから遡って、宗教改革に対抗するカトリックの反宗教改革の言説や少年十字軍を扱うはずだったのですが、分析のやり方について悩み始め、かなり時間が空いてしまい、八年後の一九八四年、フーコーの死の直前に二巻、三巻が続けて刊行されました。

第二巻の『快楽の活用』では、プラトンやアリストテレス★、そして世界史上最初の医者とされるヒポクラテス★など何人かの古典期ギリシアの思想家たちの「性」をめぐる言説が分析されているのですが、第三巻『自己への配慮』では、それと連続する形で、ヘレニズム期やローマの共和政末期から帝政初期にかけて

★ シャーロック・ホームズやドラキュラ
いずれも小説中の架空の人物。ホームズはアーサー・コナン・ドイルが創作した探偵、ドラキュラはブラム・ストーカー『吸血鬼ドラキュラ』に登場する吸血鬼。

★ アリストテレス
前三八四〜前三二二。古代ギリシアの哲学者。プラトンの弟子。「万学の祖」と呼ばれる。

★ ヒポクラテス
前四六〇頃〜前三七〇頃。古代ギリシャの医者。「医学の父」と呼ばれる。

性の言説が分析されます。帝政期に影響力のあったストア派★の、一般的に禁欲的と見なされている言説がクローズアップされます。第二巻では、古典期のギリシアに共通する重要なテーマとして、「アフロディジア ἀφροδίσια」に焦点が当てられています。さきほども出てきたように、ギリシャ神話の美の女神をアフロディテと言いますね。「アフロディジア」とは、アフロディテ的な営みに関する技法という意味ですが、具体的には性の技法です。

フーコーによれば、プラトンやアリストテレス、ヒポクラテスたちにとって「アフロディジア」は、隠れてコソコソ話さなければならないような周縁的なテーマではなく、ポリスの市民生活にとって非常に重要なものとして位置付けられていました。別に隠しだてするような話題ではないのです。「快楽の活用」というタイトルがそれを象徴的に表現しています。人間が身体的に感じる、性の快楽を抑えつけるのではなく、家庭生活の安定や一族の繁栄、市民としての公的活動に活かしていこうとする考え方だったんです。むろん、セックスばかりやり過ぎて、快楽を台無しにしないための「節制」についての考察も含まれてきます。「性の快楽」に関する真理を探究することは、自由な市民として生きるうえで不可欠だったわけです。

「アフロディジア」は、それとは一見関係なさそうな三つの技法と結び付いてい

★ ストア派
古代ギリシャからローマ帝政期まで続いたにヘレニズム哲学の一派。創始者はゼノン。自制心によって破壊的衝動に打ち克ち、道徳的幸福の追究を問うた。

ます。一つは、「養生術 Diététique」、ダイエットの術です。現代ではダイエットと言ったら痩せるしかない、せいぜい健康的に痩せましょうですが、英語の diet の語源である、ギリシア語の〈δίαιτα (díaita)〉は「生活様式」とか「生き方」、あるいは医者によって勧められる生き方、養生という意味を含んでいました。「養生術」は、体をいかに健康に保つかという技術のことです。当時は、熱を帯びた体液の一部が精子になると考えられていたので、セックスやその結果として子孫を残すことは、「養生術」の中核に位置していました。ちゃんとしたタイミングで、いいコンディションの両親がセックスしないと、健康な子孫が生まれてこないわけです。ヒポクラテスがこういう問題に言及するのは当たり前ですが、プラトンやアリストテレスも主要著作の随所で論じています。

それから、「家庭管理術 Économique」。ギリシア語で「家」のことをオイコス〈οἶκος (oîkos)〉と言いますが、それを運営する術です。ポリスの市民の「家」は、さまざまな生産活動に従事したり、主人一家の世話をする奴隷を含んでいますし、祖先から継承されてきた固有の財産も含まれます。そうした意味での「家」をどう管理するかという技法です。市民である家長が、セックスを含む妻との関係、あるいはそこから生まれてくる子孫、そして自分たちの生活を支える奴隷たちとの関係をどのように制御するか。利那的に性的欲望を満たすのではなく、自己管理が求められます。これについて、プラトンやアリストテレスが国家運営と表裏一体の関係のある問題として論じていることは想像がつくと思います。

それから「恋愛術 Erotique」です。これは主として、さきほど『饗宴』について見たような、すでに成人した市民が年少の少年を愛人として、愛しながら精神的に導くような関係をめぐる術です。当然、ただ性欲を満たすだけでなく、お互いの体のことや、相手の成長、相手も自立した市民にいつかなるのでその体面を保つことなどをいろいろ配慮しながら、長く続く関係を築かないといけない。プラトンだけでなく、多くの思想家がこの問題に関心を持っていたようです。フーコーは特にこの少年愛の「恋愛術」にこそ、古代ギリシアの「エロス」の真髄があると見ていたようです。

第三巻『自己への配慮』も、同じように私たちが思っているよりも広い意味での「性」と「自己」の関係について資料に基づいて検討されています。ヘレニズム－ローマの世界では、家政に対する配慮がやや後退し、自分自身の健康への医学的関心が高まるとともに、少年愛の比重が小さくなり、ちゃんと結婚した夫婦の間の愛を大事にすべきことが説かれるようになった、ということです。

こうしたフーコーの記述から読み取れるのは、近代人は本人の健康や子孫に対する配慮、家長なり市民なり、少年を愛する人としての立場といったことから性欲を切り離して、そうした関係性とまったく関係なく純粋に生物学的欲求として存在するかのように捉えている、と言えそうです。

それと表裏の関係にあるのは、哲学を、身体性を含まない、純粋に精神的な営みだとする見方です。「エロス」と「哲学」は、人間の生の営みの両極にあって、接点などないように思われがちですが、ソクラテス、プラトン、アリストテレス、ヒポクラテスたちにとって、ポリスの中での「美しい生き方」を探究し、理想の「自己」を形成する営みとして不可部な関係にあったと見ることができます。「あの哲学者がこういうことを言ったときは歯が痛かったに違いない」とか、「お腹がもたれていたからこういう概念を思いついたんだ」とか、身体と哲学的な発想を結び付ける笑い話のようなものがありますが、性欲の問題を中心に「自己」を制御しようとした古代人の「知」の中から、自己についての「真理」を探究する「哲学」が発展してきた、というフーコー的な視点に立つと、身体の状態は「哲学」と無関係ではなく、身体的興奮を制御して、真の、永続する快楽を得ようとするエロス的な衝動から「哲学」は生まれてくる、ということさえできるでしょう。身体的欲求と哲学の関係について問題提起し、「哲学」が自分自身とは関係ない――かのように見える――〝客観的真理〟ばかり追いかけるのではなく、そうした〝客観的真理〟に拘り、自らの存在を解明しようとするのであれば、自己を突き動かす欲望を知るべきという問題提起を行なったのはニーチェだと思いますが、フーコーはそれを「性」の問題に焦点を当てて明確な形にしました。

「快」と「理性」は背反するか

「哲学とエロス」の関連で、「アベラール★とエロイーズ★」の話をご存じでしょうか。片仮名にすると、エロイーズという名前が何かエロスと関係ありそうな気がしますが、フランス語では Héloïse と綴り、RとLの違いから原語ではその連想はあまり働かないと思います。

アベラルドゥスは中世の神学者で、エロイーズの方はその教えを受けた修道女です。アベラルドゥスは、概念の実在をめぐる「普遍論争」で、唯名論側の有力な論客としても知られています。二人の間の往復書簡は、プラトニックな恋愛文学の名著と言われることもあり、岩波文庫から邦訳が出ています。ただ、この二人の関係はかなり生々しいです。パリで神学と哲学の教師として有名になったアベラールは三十代後半のとき、頭のいい美少女として有名だった十七歳のエロイーズの家庭教師になることを買って出ますが、深い仲になって、エロイーズは

★ ピエール・アベラール
一〇七九〜一一四二。中世フランスの神学者、論理学者。スコラ学の基礎を築いた。ラテン語読みではペトルス・アベラルドゥス。

★ エロイーズ
一〇九〇頃〜一一六四。フランスの修道女。のちに女子修道院長。

妊娠し、密かに出産します。二人は結婚の約束をしていたようです。そのことに怒ったエロイーズの叔父は人を送って、アベラールの局部を切り取らせます。それで彼は修道士になり、叔父の所に連れ戻されたエロイーズは修道女になり、修道院長にまでなります。離れ離れになって十何年も経ってから、書簡をやりとりするようになったわけですが、エロイーズは当時の自分の情念を赤裸々に思い出し、今でも心はあなたと共にある、と告白しています。アベラールの方はエロイーズを諭して、神の導きに感謝すると言いながら、自分の当時の思い出を語り、自分の罪深さを強調し、相手が神によって救われたことを神に感謝しています。わざとらしくて、素直に信じられないですね。

ルソー★は、この二人の〝純粋な愛〟を、市民社会を舞台に再現した『新エロイーズ』という長篇小説を書いています。主人公のカップルの名前は、ジュリーとサン＝プルーで、エロイーズという人物は出てきません。身分の違いゆえに結ばれなかった二人が、共同体的な友愛の精神によって、自分たちの情念を乗り越えて生きていこうとする話です。二人の間の書簡という形で話が進行していきます。生々しい話は出てきませんが、最後の最後まで引きずっている感じが残ります。ルソー自身、『告白』という自伝的著作で、幼いときに、牧師の年取った妹さんに折檻されて最初の性欲を覚えた、と告白するような人だし、『新エロイー

★ ジャン＝ジャック・ルソー　一七一二〜七八。フランスの思想家。一般意志による統治の可能性を探究した・主著に『人間不平等起原論』『社会契約論』など。

ズ』は、成就されない二人の恋の情念の描写が魅力的だということでベストセラーになった小説なので、情念が抑圧された感じですっきりしない終わり方をするのはある意味当然です。つまり、これは理念によって情念を抑えられるものではないことを示唆する作品であり、神の愛や愛知の背後に情念が渦巻いていることを示唆して、「アベラールとエロイーズ」的なものの真実を明らかにしようとする作品なのかもしれません。

哲学というのは理性的なもので、性的な情念によって惑わされないものだという建前がありますが、プラトンの対話篇とか『アベラールとエロイーズ』の関係のようなものに注目すると、「哲学」が生々しい情念に支えられている営み、あるいはそれを隠蔽・抑圧して、何とか社会秩序を保つことを目指す営みなのではないかという気もします。そのつもりで読むと、哲学のテクストは、精神分析で言うところの抑圧と昇華の連鎖のように見えてきます。哲学自体が抑圧であるという視点は、真理を生み出す「力への意志」に着目したニーチェ★、哲学を含めた法や宗教などの観念的な諸体系が生産構造によって規定されるとしたマルクス★、自我を動かすリビドーを中心とする無意識の働きを明らかにしたフロイト★などによって徐々に明らかにされ、最終的にフーコーが、哲学の原点にまで遡って、哲学のエロス的な性格に注目し、それを分析するための方法論を確立しようとした、

★ フリードリヒ・ヴィルヘルム・ニーチェ
一八四四〜一九〇〇。プロイセン出身のドイツの哲学者。主な著作に『ツァラトゥストラはかく語りき』など。

★ カール・マルクス
一八一八〜一八八三。プロイセン出身の哲学者、経済学者、革命家。主な著書に『経済学批判』『資本論』など。

★ ジークムント・フロイト
一八五六〜一九三九。オーストリアの精神科医。主な著作に『夢判断』『精神分析入門』など。

ということになるでしょう。

近代哲学史で、哲学が快楽や感性的なもの一般に対して敵対的だ、というイメージを定着させたのはカント★でしょう。カントは、理性は自らが従うべき道徳法則を発見し、それに自発的に従うことができるということ、一言でいえば、理性の自律性に基づいて道徳哲学を構築しようとしました。自らが発見した普遍的な道徳法則のみに基づいて行為せよ、という理性の命令が、定言命法です。「快」のような物質的な刺激によって左右されるのは、純粋な道徳的な行為ではありません。何かの物質的な見返りや社会的評価を期待して人に親切にするのは、仮言命法に基づく行為であって、純粋な道徳的行為ではありません。カントは定言命法に基づいて、人びとが互いの人格を尊敬しながら生きる「目的の王国」に到達することを、哲学の最終的な使命と見ていたのではないかと思います。カントの後に続いたフィヒテ★、シェリング★、ヘーゲル★など観念論の哲学者たちは、理性が自らを取り巻く世界を構築し、歴史を発展させるメカニズムを総合的に明らかにしようとしました。「理性」に照準を合わせて、世界の成り立ちを解明するのが、哲学の使命であるというイメージが、カント－観念論－新カント学派の系譜によってできあがったのではないかと思います。マルクス、ニーチェ、フロイトはそうした哲学的「世界」観への、哲学外からの挑戦者ということになります。

★ イマヌエル・カント
一七二四～一八〇四。ドイツの哲学者。ドイツ古典哲学の祖。主な著作に『純粋理性批判』『実践理性批判』『判断力批判』など。

★ ヨハン・ゴットリープ・フィヒテ
一七六二～一八一四。ドイツ観念論の哲学者。主な著作に『全知識学の基礎』『ドイツ国民に告ぐ』など。

★ フリードリヒ・シェリング
一七七五～一八五四。主な著作に、『悪の起源について』『人間的自由の本質』など。

むろん、それは理性とか精神にとっての「世界」ですから、「哲学」に解明できるのは、諸科学の基礎になる一番最初の前提の設定に関わる部分だけで、自然界や社会の諸領域に働く具体的な法則は、諸科学に任せる、ということになります。そこから、この連続講義の四回目（第二巻［青版］所収）で少しだけお話しした、「諸科学の危機」というような事態も起こってきたわけです。

逆に快楽と哲学を密接に結びつけようとしたのが、ベンサム★の功利主義です。ベンサムは、「快楽」の総量を増すような行為が道徳的にも政治的にも正しいということに徹しようとしました。この発想は、自然科学と親和性がありそうに見えます。ただ、ベンサムはすべての「快楽」を同等に扱い、量的に表して、何をやったら「快楽」が増えるのかという抽象的な一般論を展開したので、これはこれで「エロス」のような生々しい話から遠ざかっている感じがします。カントは、当時台頭しつつあった快楽を道徳と結びつける功利主義的な道徳とは徹底的に対抗しようとして、定言命法に基づく道徳こそ本当の道徳であり、そうした道徳に従ってこそ、人間は自由になると主張したんですね。じゃあ、快適さや快楽をまったく無視しているかというと、そうでもなくて、七回目（同［青版］所収）の講義で話題にしたように、『判断力批判』という「美」について論じている著作では、快適に感じるかどうかという趣味判断が、美の出発点になるという前提で

★　ゲオルク・ヴィルヘルム・フリードリヒ・ヘーゲル
一七七〇～一八三一。ドイツ観念論を代表する思想家。主な著作に『法哲学』『精神現象学』など。

★　ジェレミー・ベンサム
一七四八～一八三二。イギリスの哲学者。経済学者。法学者。功利主義の創始者。主な著作に『道徳および立法の諸原理序説』など。

議論をしています。ただ、それが道徳の問題とどう繋がっているのかはっきりした見方を示していません。

シラーの美と道徳をめぐって

哲学者と言っていいか微妙ですが、カントの影響を受けた思想家としてシラー★が有名です。シラーはカントと違って美的な判断と道徳的な判断を再統合しようとしました。プラトンに戻るということなのかもしれませんが、シラーは、美しいと判断する能力と、道徳的に「善」や「悪」を判断する能力は、究極的には一致するという前提で考えようとしました。シラーによると、調和を本質とする美によって、現実世界と道徳的世界が仲介されます。

こういうふうに言うと難しく聞こえますが、みなさんは正義の味方について一般的にどういうイメージを持ちますか。深く考えなかったら、かっこいい、美しい姿を想像しますよね。子供向けの特撮やアニメが典型的ですが、推理ドラマでも、見かけで誰が正義の味方か分かってしまう場合が多いですね。美しい＝正義の典型的イメージが私たちの中にあって、それに従って条件的反射的に判断して

★ヨーハン・クリストフ・フリードリヒ・フォン・シラー
一七五九～一八〇五。ドイツの劇作家、歴史学者、思想家。ゲーテと並ぶドイツ古典主義を代表する文豪。代表作に戯曲『群盗』、論考「素朴文学と情感文学」など。

いるのではないかと思います。政治家やＴＶのコメンテーターについても、自分にとっての〝正しい人〟のイメージで判断していることが多いのではないかと思います。声も重要でしょうね。また、正義が支配しているは秩序立っていて美しいですね。「光の国」とか、皇帝に支配される前の「銀河帝国」とか。悪は複雑で分かりにくい手を繰り出し、何を考えているのか不明なので不気味だけど、正義の味方の論理はシンプルで、それが実現したら、調和の取れた美しい国ができそうな気がする。それだけだと、シンプルでつまらないので、エンタメでは、正義の国が悪人の陰謀で乗っ取られたために、主人公がその国を回復する旅に出るとか、一見、正義の味方に見えない悪っぽいヒーローが出てきて、それが実はかっこいい人で、崇高な理想を目指していることを、読者・視聴者に徐々に発見させる。「善」は何だかんだっていって、「美」しいはず、と私たちが想定しているからこそ、ヒーロー物やワイドショーが成り立っているのではないでしょうか。シラーは、事物の調和としての「美」と、宇宙に存在する諸事物、私たちの生の究極の目的である「善」が一致するはずと考えて、両者が私たちの内でどのように相互作用するか考えました。

シラーは、哲学者というより小説家、詩人、劇作家として知られていますが、小説家としての彼は、「愛と狂気」をテーマにした作品をいくつも書いています。

これ自体は昔からある、古代ギリシアにもシェイクスピア★やラシーヌ★にもあるベタなテーマですが、シラーの場合に特徴的なのは、恋愛におけるボタンの掛け違えから生じる葛藤が、革命と絡み合っているということです。シラーより少し年長のレッシング★にも、愛と身分制への反抗と破滅というテーマは見られますが、シラーははっきりとそれを革命的な情念と結び付けています。『群盗』とか『ドン・カルロス』『たくらみと恋』などがその方面の典型だと思います。私たちが知っているジャンヌ・ダルク★のイメージの原型になった『オルレアンの乙女』も、神への純粋な愛に思えるものが、異性に対する抑圧された愛と混じり合っていることを示唆する作品です。

カントと並んでシラーに大きな影響を与えたのが、ゲーテ★です。ゲーテといえば『若きウェルテルの悩み』ですね。主人公のウェルテルは、ある女性への妄想じみた恋愛を観念化していって、やがて自殺するんですが、この小説が一七七四年に発表されると、ドイツ語圏だけじゃなく、ヨーロッパにものすごく影響を与え、あまりにも感化されて、本当に自殺した人がかなりいたらしいんですね。

ゲーテの作品は、シラーのように革命や騒乱を恋愛と直接的に結び付けませんが、恋愛における行き違いが狂気へと発展する様を描くことにかけてはずっと巧みだと言えるかもしれません。一八〇九年に発表された小説『親和力』は、本人

★ウィリアム・シェイクスピア
一五六四〜一六一六。イギリス・ルネサンスを代表する劇作家、詩人。代表作に『ハムレット』『マクベス』など。

★ジャン・バティスト・ラシーヌ
一六三九〜九九。フランス古典主義を代表する悲劇作家。

★ゴットホルト・エフライム・レッシング
一七二九〜一七八一。ドイツ啓蒙思想を代表する劇作家、批評家、詩人。代表作に、戯曲『賢者ナータン』など。

★ジャンヌ・ダルク
一四一二〜一四三一。フランスの軍人。百年戦争末期にイングランド軍と戦う。

★ヨハン・ヴォルフガング・フォン・ゲーテ
一七四九〜一八三二。ドイツを代表する詩人、作家、自然科学者、政治家。代表作に詩劇『ファウスト』、論考『色

たちの意志と関係なく働く恋愛の力学を定式化することを試みた作品とされます。親和力というのは化学用語で、物質同士が引き合う力のことです。ある一定の条件を満たす社会的環境と関係性、力の働く場のようなものがあり、その場の中でAという属性を持つ人がいてBという属性の人と安定的に結び付いているが、そこにB以上にAとの間に強い親和性を持つCという属性の人が加わると、化学変化が起こる。登場人物の情念よりも、親和力の引き起こす化学反応の法則性を探究しているように見えるところに特徴があります。触媒のような人物とか、反応の進行を遅らせる条件も出てきます。『ウェルテル』とはまったく違った角度からの、科学的な視点からの恋愛へのアプローチです。恋愛を記号の組み合わせのように分析する小説として、ベンヤミン★やデリダ★の『声と現象』をドイツ語訳したヨッヘン・ヘーリッシュ★などのポストモダン系の文芸批評が重視し、独自の解釈を加えている作品です。こうしたことは拙著『教養としてのゲーテ入門』で論じたので、よかったら読んでください。

シラーもゲーテもきわめて哲学的な作家で、彼らの作品は、市民社会における近代的な「自我」の在り方、自己形成をめぐる議論でしばしば引き合いに出されますし、シラーは哲学者でもあります。彼らの作品では、「愛」という無意識から発する情念が理性的思考を狂わせるわけですが、それはカントやヘーゲルに代

彩論』、自伝『詩と真実』など。

★ ヴァルター・ベンヤミン
一八九二―一九四〇。ドイツの思想家、批評家、哲学者。主な著作に「ボードレールにおける第二帝政期のパリ」「歴史哲学テーゼ」など。

★ ジャック・デリダ
一九三〇―二〇〇四。フランス領アルジェリア出身の哲学者。主著に『エクリチュールと差異』など。

★ ヨッヘン・ヘーリッシュ
一九五一生。ドイツの批評家、哲学者。主な著作に『メディアの歴史』など。

表される、理性的な「自我」を中心とする人間観・世界観では、光の当たらない影になってしまいがちな部分を描き出している、と言えるかもしれません。

クライスト『ペンテジレーア』の理性と狂気

カントやシラーよりもうちょっと後の世代、一七七七年に生まれたクライスト★という小説家・劇作家がいます。ドイツ文学が好きな人でないと、名前さえ聞いたことがないかもしれません（第六講、［青版］所収）。若くして三十四歳で亡くなっていますが、彼はカントの『純粋理性批判』を読んで、われわれは物自体を認識するのは不可能なんだ、とショックを受けるんです。自分は今までいろんなものを見てると思っていたけど、全部本当じゃなかったんだな……って本気でショックを受ける。普通はそういうことがあっても、「それで自分の生き方が変わるわけないだろう」とクッションをはさんで捉えるのでしょうが、クライストはカントによって、世界が崩壊するような経験をしてしまう。私は全然そうではないですが、ニーチェやウィトゲンシュタイン★のように、特定の哲学のテクストとの出会いで人生が変わってしまう人はいるようです。カント・ショックを通過

★ ハインリヒ・フォン・クライスト 一七七七〜一八一一。ドイツを代表する小説家。劇作家。代表作に小説『チリの地震』『O公爵夫人』。戯曲『こわれがめ』『ペンテジレーア』など。

★ ルートヴィヒ・ヨーゼフ・ヨーハン・ヴィトゲンシュタイン

したクライストは、人間の自我の不安定さ、自律しているように見えて、外界からの影響にきわめて脆弱であることに関心を向けるようになります。彼には、人間の行動が無意識レベルでの働きかけによって規定され、思考が後からついてくることを示唆する「語りながら次第に思考を練り上げていくことについて」という哲学的なエッセイがあります。また、理性と狂気が表裏一体になっているような小説や劇作をいくつも書いています。その中でも目立つのがギリシア神話を素材にした戯曲『ペンテジレーア』です。

ペンテジレーアは、女性だけから成る戦士共同体であるアマゾン族の女王です。神話によっていろんなバージョンがありますが、いずれの場合もアマゾン族は他の国の男と交わりに行って、男の子が産まれたらどこかに捨て、女の子だけを育てて、代々女性だけで続いています。クライストの『ペンテジレーア』はトロイ戦争を素材にしています。ギリシャ神話だとペンテジレーアはトロイ側に味方してギリシア陣営のアキレスに殺される設定ですが、この設定を変更して、思い切って改作しています。

サブカルで「アマゾネス」という言い方がありますが、あれはこのアマゾンの女族からきています。ギリシャ神話では、黒海沿岸地域の、かつてギリシャ人がスキタイと呼んでいた地域にアマゾンの国があったとされています。グルジアと

一八八九〜一九五一。オーストリア出身イギリスで活躍した哲学者。主な著作に『論理哲学論考』『哲学探究』など。

かアルメニアがある地域、コーカサス山脈の麓に位置します。第六講にもゲストで参加していただいた京都の演出家あごうさとしさん★と『ペンテジレーア』を基にした作品を作ろうとしているところです。

クライストの『ペンテジレーア』という作品は、私が二十数年前にドイツに留学していたときに、その当時大学の助手をしていた人が学生の基礎ゼミでテキストとして選んで購読していました。非常に刺激的な内容で、いろいろな解釈の可能性があることが分かって、それ以来ずっと印象に残っています。クライストの描いているペンテジレーアは、ギリシャ神話のようにアキレスがペンテジレーアを殺すのではなく、ペンテジレーアがアキレスを殺すんですね。

クライストの舞台設定は非常に変わっています。トロイとギリシャの軍勢が向かい合ってるときに急にアマゾンの部隊が来て、両軍ともにこれは何をしに来たんだ、といぶかります。戦争で二大陣営が対立している場面だから、どちらかの味方をしに来たのだろうと思っている。最初はギリシャの方に攻めかかって来たので「ああ、トロイの味方だな」と、トロイ側は判断します。ところがトロイ勢がアマゾンに合流してギリシャに攻めかかろうとすると、ペンテジレーアは自分の闘いを邪魔されたと怒って、トロイの王子を殺してしまう。それでペンテジレーアが味方になってくれると思って、「こちらの味方をしてくれるのか」

★ あごうさとし
一九七六年生。劇作家・演出家。芸術監督。一般社団法人アーツシード京都代表理事。主な劇作に『触覚の宮殿』など。本シリーズ［青版］参照。

とオデュッセウスが聞いたら、「私はアマゾンの女王ペンテジレーア」だと答えて、今度は矢を射かけてくる。ところがオデュッセウスや周りの人が見ていると、どうもペンテジレーアがアキレスをものすごく情熱的な目で見ていて、顔が赤くなっている。ギリシャ人の感覚からすると、これは恋をしているようにしか見えないのですが、ペンテジレーアは本気で弓でアキレスを狙って、仕留めようとしてくるんです。

メタファーと現実の境界を描く

「キューピッドの矢」ってありますよね。これは「矢」のメタファーを使っていますが、本当に矢だと思う人はまずいないんですよね（笑）。もし女性が矢みたいなのを持ってきて男を追いかけたって言っても、冗談だろうって思うのですが、ペンテジレーア本人の意識としては、本気で殺そうとしているわけです。ペンテジレーアはものすごく強弓で、トロイの兵隊を何人も殺してるから、これでアキレスを打ったら死ぬのは確実、とギリシア人には見える。しかし、通常の男女の恋愛を知っているギリシア人の視点から見ると、彼女は明らかに恋に落ちている。

左より、アフロディテ、エロス（クピド）、牧神パン。

戦争のための矢が、キューピッドの矢でもあるわけですね。この作品ではペンテジレーアとアキレスが遭遇する場面以外にも、随所に弓矢のメタファーがしょっちゅう出てきます。男の軍隊と、女性だけの軍隊が対峙しているのだから、ある意味当然だとも言えます。

よく恋愛を狩りに喩えることがあります。日本語の日常会話で「愛の狩人」とか言うと冗談にしか聞こえないけど、ペンテジレーアにとっては冗談ではない。彼女の矢はリアルな矢ですが、それはアキレスへの愛の矢でもあったわけです。普通とは一次的な意味と二次的な意味が逆転しているんです。ただ、これが「愛の矢」であるというのは、この物語の基本設定においては、単なるメタファーではありません。男たちから隔離されて生活しているアマゾンの女族は、年に一度アルテミスの神殿から啓示が下り、指定された国に出かけ、男を狩りの獲物として捕え、連れ帰って交わらないといけないということになっています。適齢期の女が戦闘の中心になるようです。文字通りの意味で獲物にしないといけないわけです。気に入った男に目をつけると、武器をもって闘い、戦闘できない状態にして捕えます。その武器には当然、矢も入っています。みんなが捕虜を捉えると、祖国に帰って、薔薇の祭りを開催します。この薔薇の祭りは凱旋祝いで、自分の獲物の男を思い切り花で飾り立てるんですね。男性と女性の役割が逆転しているわけです。

メタファーと現実の区別がつかなくなっているんですね。戦争の弓がキューピッドの矢のメタファーなのか、それともその逆なのか。この点を哲学的に突っ込んで考えると面白いです。そもそもなぜ「キューピッドの矢」って矢のメタファーを使うんでしょうか。相手を殺したら意味がないなら、矢のようなぶっそうなものではなく、もっと柔らかいもの、網とか綱のようなものの方がいいのではないか。しかし、アマゾン族のような習慣があれば、矢でないとダメですね。

いや、それはクライストの創作ではないか、という反論が出てきそうですが、アマゾン族ではなく、女性を略奪する男の集団だったらありそうです。誘拐婚の習慣は実際にありました。ローマの建国時の神話に、女性が少なかったのでサビニ人の女性を略奪した、というエピソードがあります。また、女性はそんな暴力を振るわないかというと、それも疑問ですね。アマゾンが祀るアルテミスは弓矢の神ですし、女性の戦士は実在します。クライストは、いくつかの極端な状況を設定することで、「キューピッドの矢」の必然性についての問題提起をしているのではないかと思います。凶暴性を暗示するメタファーを使うのは、もともと凶暴性があるからではないのか。だからこそメタファーとして機能するのではないか。むろん、普通の人にとって、メタファーはあくまで言葉の表現上の問題であって、実行に移すことなどあり得ないでしょう。しかし、錯乱状態になると、自分の吐いた言葉が自己暗示的に働いて、潜在的な願望が刺激され、それを実体化する行為が引き出されるかもしれない。あるいは、その人のある行為が暗に別の行為のメタファーになっているのかもしれません。たとえば、関心を持っている相手に弓かピストルで狙いを定めるポーズを取ったとしたら、その行為自体が直接的には敵意のメタファーになるし、間接的には自分の愛の対象にしようとする欲望のメタファーになっているかもしれません。クライストの作品には、言葉や身振りによるコミュニケーションの行き違いによって、言語の世界と、現実の間の複雑な対応関係のバランスが崩れ、隠れていた情念が表面化して、悲劇的結末に終わる、というパターンのものが多いです。

『ペンテジレーア』の世界では、ペンテジレーアはアキレスとの闘いに勝って自分のものにしなければなりません。それが女王としての使命だし、彼女の戦士かつ女性としての二重の欲望を満たせる唯一の道です。最初の闘いではアキレスが勝ってペンテジレーアは落馬し、激しく頭を打って、脳震盪状態になります。アキレスはこれで彼女が自分のものになったと思う。しかし、ペンテジレーアの側近は、自分が敗れたとするとペンテジレーアが自殺するのではないかと心配して、アキレスに「あなたが負けたことにしてアマゾンまで付いてきてほしい」と懇願します。ペンテジレーアを手に入れることが第一で、勝敗は二の次のアキレスはそれを承知します。

そうやってアキレスと側近たちがぐるになってペンテジレーアを騙そうとし、本人もその気になりかけますが、本当に騙されているのか、ちょっと微妙なんですよ。頭がまだぼおーっとしていたのと、自分が情念を向けた男が傍にいて興奮しているのとが合わさって、自分がどういう状態で倒れたのか、あまりよく覚えていない。ただ、勝ったわりには、周りの様子が変なのは何となく気付いているようです。いろいろ話しているうちに、自分がトロイにいるのか故郷にいるのか認識が曖昧になるし、神話の英雄のように山を動かしたり、太陽を捕まえることができるかといったことを言ったりします――神話を素材にしていますが、この戯曲には、神は出てきませんし、超常現象は起こりません。

クライストの他の作品でも、ちょっと頭が飛んでしまった人がよく出てきます。クライスト以前には、たとえばシェイクスピアのような古典的な作品でも、何か大変なことがあって狂気に落ちるという設定はよくありますが、クライストの場合、もともと現実と夢の区別がついてないような人物とか、いろいろな行き違いやショックが重なって、ちょっとずつ自分の置かれている状況が把握できなくなっていく人を設定し、最後に一気に狂気に囚われるのではなく、徐々に言動がおかしくなっていく、というのが特徴です。それも、シェイクスピアのリア王とかリチャード三世のように大袈裟な長々しい台詞で自分の狂った思考を表現するのではなく、あまり語ることなく、突拍子もない動作に狂気が現れている感じです。戯曲でそれを表現するには、それなりに工夫が必要です。クライストはそれを本人の台詞以外のものによって表現するのが巧みです。

さきほどお話ししたように、アキレスと側近たちはペンテジレーアを騙そうとしますが、その芝居の最中にギリシア勢が押し寄せてきます。そうなるとアキレスはさすがに誤魔化しきれないと悟って本当のこと言ってしまい、強引にペンテジレーアを自分の領地に連れていこうとします。ペンテジレーアはパニックに陥りますが、駆け付けたアマゾン軍の新手の部隊によって奪還されます。それでペンテジレーアは錯乱状態になりますが、そこにアキレスから使いが来て、もう一回、今度は一騎打ちで勝負して決着を付けようと申し込まれます。受けて立ったペンテジレーアは、彼をどうしてもほしいという情念と、戦士としての誇りを汚された怒りの双方が心の中で燃え盛り、闘いの神アレスに取り憑かれたような異様な興奮状態のまま犬と象を引きつれ、鎌を付けた戦車にのって出陣します。ペンテジレーアのおぞましい様子におじけづいたアキレスは逃げ出しますが、ペンテジレーアは彼の首を射抜いてしまう。ペンテジレーアは犬とともに瀕死のアキレスを襲い、心臓に噛みつきます。

この「相手の心臓に噛みつく」って、日本語でも十分通じるメタファーですよね。ただ、ここでは実際に「噛みつい」て、本当に殺してしまいます。殺したいほど愛している、という恋愛ドラマでよく聞きそうな台詞が現実化してしまいます。ドイツ語でキスすることを küssen、噛みつくことを bissen といいますが、この二つは音が近いですね。自分は相手の心臓にキスするつもりで、実は噛み付いてしまうのですが、それについて、küssen と bissen は「韻が合う」と言っています。つまり、「キスする」つもりで、ちょっとのズレが「噛み」付くになってしまい、それで噛み殺してしまったんです。また、「枕」のことを少し古いドイツ語で Küssen ——今のドイツ語では Kissen ——と言って、「キスする」と同じ音です。「キス」「噛みつき」「枕」で韻が成立しているわけです。

ここではメタファーのレベルと、現実に起こっていることのレベルが区別できなくなっています。そして私たちが愛情だと思っている感情なり、その根底にある好きな相手を自分のものにしたいという欲求なりと、戦って獲物を勝ち取ろうとする欲求とが、深いところで結びついていることが露呈します。われわれは「キューピッドの矢」は単なるメタファーで、両者を本質的には別物のように考えていますが、本当にそうなのか。人間の原初的な欲求においては混然一体となっているのではないか、クライストの『ペンテジレーア』は、そういうことを問いかける作品です。

「アマゾン」という名称の由来は本当のところはっきりしないですが、ギリシア神話では、「乳房 μαζός (mazós) がない」という意味にこじつけ気味に理解されています。普通ならあっさりしているような描写でも、身体性を強調するクライストの『ペンテジレーア』ではすごくリアルです。彼女たちは鎧を着てるから外からは分からない。ところがペンテジレーアは、アマゾンがなぜ右の乳房を切ることになったのか、初代女王が女だけの国を建設する決意を示すため自分で乳房を引きちぎった話をし、自分も乳房を切っていることを告白するという設定になっています。アキレスもそういう話は聞いていたけれども、まさか本当にやってないだろうと思っていたようです。この場面や最後の噛みついて殺す場面は、実際に芝居で再現すると、かなり難しいと思います。

クライストはこれを一八〇八年に書いたのですが、実際に上演されたのが一八七六年で、六八年かかっています。やっぱり最後のシーンが刺激的すぎたのでしょう。当時のドイツ語圏の文壇ではゲーテの影響が圧倒的だったので、ゲーテに台本を送って上演に助力してほしいと頼みましたが、ゲーテはこの作品は私には理解できない、と言ってやんわりと断りました。人間の内の隠しておかねば

ハインリッヒ・フォン・クライスト

ならない野蛮な欲求を舞台で公にしてしまうことを危険視したからだとされています。他のドイツの演劇人も理解を示さなかったので、上演の目途が立たなかったわけです。

このクライストの『ペンテジレーア』はドイツ文学者の間では非常に有名なのですが、日本ではミニ劇場で上演された例はあるようですが、著名な劇団や劇場ではおそらくやってないと思います。ドイツでもごく最近になって、実際の舞台で上演されるケースが増えてきたようです。オペラ作品としての上演はそれなりにあるのですが、通常の舞台だと、心臓に噛みつくラストシーンに向けて、ペンテジレーアの身体の変調を徐々に表現していかないといけないし、アキレスに弓で狙いを付けるペンテジレーアの表情や体の様子をどう表現したらいいのか、悩んでしまうと思います。

精神分析の衝撃

エロスと哲学が本格的に結び付くようになったのは、精神分析が出てきてからです。精神分析は、理性中心主義的人間観への挑戦だということがよく言われます。無意識というものがわれわれの意識の根底にあって、人間のふるまいを本人が意識していないところで規定しているという前提に立って、その無意識の働きに関心を持つからです。

無意識についての哲学的言説は、ドイツ観念論のシェリングの自然哲学・芸術哲学やロマン派の文芸理論に見られますが、ニーチェはそうした意識化されない領域で働く「力への意志」に注目して、そこに「超人」誕生の可能性を見ました。それをフロイトが再発見し、科学的言説にしました。

フロイトが精神分析を確立するのは一八九〇年代後半以降ですが、彼の理論では、性的な欲動が無意識に抑圧されていることが大きなテーマになっています。リビドーですね。リビドーというのは快感を得ようとする性的なニュアンスを帯びた欲動のことで、生まれたばかりの乳児の頃からすでに働いています。乳児だと、体の性的な部分は未発達ですが、口で乳房を吸うことによって快楽を得ます――口唇期と言います。それから肛門に快楽の中心になります――肛門期と言います。男子の場合、その後、男性性器が発達してくると、そこに関心の中心が移っていきます――男根期と言います。むろん幼児期の性器はセックスには役に立たないので、単にいじっているだけですが、やがてセックスできるようになると、精神的なものも含めて、性交が快楽の中心になっていく――性器期――というように、身体の発達とともにリビドーの分布も変化するわけです。

この話は、さきほどのペンテジレーアの「噛み付き」と関係していそうですね。赤ん坊は、母親の乳房やそれに類似したものにやたらに噛み付こうとしますが、おそらく食べたり飲んだりすることによる快楽と、後にオーラル・セックスに発展するような、リビドー的な噛み付きによる快楽の区別はついていないでしょう。第七回の講義で、アルトー★の「器官なき身体」論に即してお話ししました。人間の口は食事、呼吸、物の保持、言語、セックスなどいろんな機能を果たしますが、そうやってちゃんと分化しているのは大人になってからのことで、乳幼児はそうした機能は未分化ですし、それに対応して発動する欲動も、これは食欲、これは性欲、これはコミュニケーション欲求というようには分化していないでしょう。大人の身体は、どの器官がどういう状況になるとどういう機能を果たすかが決まっていますが、自我によるコントロールが弱まると、ペンテジレーアのように、身体の諸器官が未分化状態に戻ってしまうかもしれません。アキレスを殺した後のペンテジレーアは呆然自失として、一族の女たちの言葉にあまり反応せず、世話してやらないと何もできなさそうな、退行したような状態に陥ります。アキレスを襲った瞬間、彼女の身体はリビドーが口に集中し、愛する対象に噛み付いてしまう乳幼児期に近い状態になっていたのかもしれません。

★ アントナン・アルトー
一八九六〜一九四八。フランスの詩人、演劇家。晩年は精神病院に収監される。主な著作に『ヘリオガバルスまたは戴冠せるアナーキスト』など。

「リビドー」という視点を取ると、人間が、自分のやっていることを把握している理性的な主体だと考えている限り到底理解できない「キューピッドの弓」のような問題が解明できそうな気がしますね。人間を動かす不可解な欲望を解明できそうに思えるので、リビドーが封じ込められている無意識の領域を想定し、研究する精神分析に、哲学も関心を寄せるようになったわけです。それまでの「哲学」ではアプローチできない領域を解明する道を、精神分析が開いてくれるように思えたわけです。

ちなみにこの「リビドー libido」という言葉はフロイトの発明みたいなイメージがありますが、もともとはラテン語で、「欲望」「幻想」「傾向性」「願望」「情念」「渇望」、そして「性欲」といった意味で使われていました。さきほどお話ししたフーコーの『性の歴史』は、生前には三巻しか刊行されていなくて、第四巻『肉の告白』は未完に終わったのですが、それが少し前に刊行されました（邦訳は二〇二〇年十二月刊）。その中でこのアウグスティヌス★の「リビドー」論が大きく扱われています。アウグスティヌスは、自由意志とリビドーの関係について、ペラギウス派という異端派に対する論駁の中で語っています。人間の体にはリビドーという性的なものを含んだ肉体的な欲求がある。リビドー自体は神によって作られた身体に備わっているので、それ自体が悪なのではない。自由意志によっ

★　アウレリウス・アウグスティヌス　三五四〜四三〇。ローマ帝国時代の神学者、哲学者。カトリック教会、聖公会などで聖人とされる。

てリビドーをコントロールできないことが悪なのだ、と論じているんですね。性的な行為をしたら、リビドーが働く。それは仕方がない。ただしリビドーに支配されてしまったら、それは神の摂理に反する。自由意志によってリビドーを完全に制圧した状態の性交が正しい。手足をコントロールできるように、性交しているときの性器を中心とした身体の動きをコントロールできないといけない。

こういう議論をする背景に、彼自身がキリスト教に改宗する前にかなり性的に乱れた生活をして、リビドーをコントロールできていなかったということがあります。アウグスティヌス自身は聖職者になったので、もはやセックスする機会はないはずです。でも、性交がすべて罪だとしたら、在家信者はもう誰も救われなくなりますね。だとすると、条件付きで性交を認めるしかない。そこで自由意志によってリビドーを制御できないことが罪であり、その罪はアダムとエバの堕落以来、子孫に継承されていった、という論を展開します。

人間は自らの意志で神に従う／従わないの選択ができるのか、という自由意志論は、近代以降は形を変えて、西欧哲学にとっての最重要テーマになったわけですが、その原点にリビドーをめぐる問題があったわけです。フーコーによると、アウグスティヌスによって、人間を自らの身体的欲望を理性あるいは意志によって制御することのできる「欲望の主体 le sujet du désir」と見て、そうした主体になるよう形成していく、主体の倫理学が形成されたということです。

フロイトの問題提起

フロイトに話を戻しましょう。「エディプス・コンプレックス」仮説が有名ですね。ソフォクレス★の『オイディプス王』のオイディプスのように、男の子には父親を殺して母親と交わりたいという欲望がある、というものです。女の子の場合はどうなのかはっきりしませんが、父と母を置き換えたような欲望があると想定していたようです。女性は男根がないので、口唇期→肛門期間→男根期→潜在期→性器期という発展図式にうまく当てはまらないため、フェミニストから批判されますし、その部分を補正しようとするフェミニズム系の精神分析の議論がいろいろあります。

哲学的に肝心なのは、父殺しが「主体」になることと関係している点です。乳児期において母親と一体になっている子供は、自分と母親の間に割って入ってくる父親に嫉妬し、父に取って替わりたいと思います。それがエディプス・コンプレックスの根底にあるものです。しかしそうやって父に関心を向けると、母が本

★ ソフォクレス
前四九七頃〜前四〇六頃。古代アテナイの三大悲劇詩人の一人。代表作に『アンティゴネー』『オイディプス王』など。

当は父のものであること、父は力が強いので母を自分のものにできることを知ることになります。その父の強さの象徴がペニスです。そこで、子供は父のように強くなろうとします。そうやって父を憎みながら、父をモデルとして、それより強い自己になろうとする動機が働きます。実際に父を殺害するのではなく、象徴的に殺す、つまり乗り越えようとすることになります。身体の面では、そのうちに体が大きくなり、性器も機能するようになります。

しかし、それだけではありませんね。社会的に見ると、父のように一家を養っている一人前の人間になること、つまり「主体」になることを目指すようになるのです。「主体 sujet」である以上、単に生物的に強いだけでなく、自分の欲望を制御して、社会に役立ち、みんなから認められないといけない。それがさきほど、『性の歴史』の四巻に即してお話しした、「欲望の主体」ということです。英語の subject やフランス語の sujet は、「下に置かれているもの＝基礎になるもの」という意味のラテン語の〈subjectum〉から派生した言葉で、近代初期にはむしろ、君主に従う「臣民」という意味で使われていました。その名残で、英語で形容詞の subject は、be subject to ～（～に従う）という形で使われますね。フーコーはそうした語源を意識して、「主体」になるというのは、その社会で支配的な規範（norme）に従い、身に付けることだと主張し、assujetissement という言葉で表現します。「従属化」という意味ですが、綴りに sujet が入っています。「主体化＝従属化」です。

エディプス・コンプッレクスによる象徴的な「父殺し」は、父のように社会的に認められるようになること、「主体＝従属化」することだと解釈できます。ラカン派★の精神分析では、「父殺し」によって、言語化された社会の秩序、社会的コードが獲得されると考えます。それを、「父の名 nom-du-père」と表現します。これはフランス語で「名前」という意味の nom と、「否（ノー）」という意味の non が同じ発音になることから来る、言葉遊びです。赤ん坊のようにありのままの自分を母の愛によって肯定してもらおうとする、無垢な私に対し、社会を代表する「父」は、「否」を突き付ける。その「父」に反発しながらも、「父」をモデルに自己形成し、「父」を乗り越え、「父の名」を継承しようとする。それが自律した「主体」、「欲望の主体」になることです。

こういうふうに、精神分析や精神分析を強く意識したフーコーの議論に即して考えると、理性的な主体というのは、さまざまな欲望が無秩序に交差する「器官なき身体」の状態にあった乳幼児が、父が代表する社会の規範、理性的言語に従い、身に付けることを通して徐々に形成されてくるもの、ということになります。最初から自律した、理性的な主体などいないわけです。このようにまとめる

★ ラカン派
フランスの精神科医で精神分析家のジャック・ラカンを中心としたグループ。フロイトの精神分析学に構造主義の手法を組み込んで理論的に発展させ、精神分析に大きな影響を与えている。

と、父親殺しが失敗したらどうなるのかという疑問が生じます。この前提で考えると、当然、父殺しに失敗し、自律した正常（normal）な主体になれない人は一定数出てくるでしょう——normal は norme（規範）の形容詞形であることに注意してください。フーコーは、主体＝従属化に成功して normal と判定されることがなかった、abnormal な人たちに関心を向けました。浅田彰★さんは、日本社会など先進資本主義国で、単なるサラリーマンであり、出世できない「父親」が最初から権威を喪失し、象徴的な父殺しの対象になりにくくなったことを、ポストモダン状況における主体モデルの喪失、脱主体化と絡めて論じています。彼の言う「スキゾ・キッズ」は、父親を通して主体＝従属化することを拒む、あるいは規範化の網の目からこぼれ落ちて行く「子供」たちです。

エロスとタナトス

フーコーや『アンチ・オイディプス』の著者であるドゥルーズ★＋ガタリ★など、いわゆる、ポストモダン系の論者は、エディプス的主体がきわめて不安定で、いつ崩壊してもおかしくないことを主張しますが、フロイト自身がそのことを暗示

★ 浅田彰
一九五七年生。批評家、京都造形芸術大学教授。主な著作に『構造と力』『逃走論』など。

★ ジル・ドゥルーズ
一九二五〜九五。フランスの哲学者。ガタリとの共著に『アンチ・オイディプス』『千のプラトー』など、主著に『差異と反復』など。

★ フェリックス・ガタリ
一九三〇〜九二。フランスの哲学者、精神分析家。ドルゥーズとの共著のほか、著書に『分子革命』など。

していたと見ることができます。

　後期のフロイトは、快楽を求めるエロス（リビドー）と死への欲動としてのタナトスの鬩《せめ》ぎ合いの中で、私たちは生きているという議論を展開します。エロスの方はここまでお話しした通りです。性が常に中心にあるかどうかは別として、快楽を求める欲動なので、それが私たちの内で働いているというのは理解できますね。一方、タナトスが働いているというのは疑問ですね。死にたい人なんてそんなにたくさんいないではないか、と思ってしまいます。しかしフロイトに言わせれば、人間は生まれた瞬間からストレスに晒されます。母胎にいるのが最もストレスのない状態だとすると、生まれると、そこから切り離され、いろんな障害を克服して生き残らないといけない。食べ物を取ったり、生き残りをかけて他者と競争しないといけないので、緊張します。だから人間は緊張を緩和しようとします。快楽というのは緊張がない状態です。かゆいところに薬を塗ってかゆみが取れたり排便したりしてすっきりしたときに、気持ちがいいことを念頭におけば分かります。セックスも痛みを通過しますね。最も緊張がない状態がどういう状態かというと、それは生命活動が停止する状態、死です。仏教でニルヴァーナ（涅槃）と呼ばれる欲望から解放された状態は、生物としての活動を停止して、「死」んだ状態ではないでしょうか。

ジークムント・フロイト

しかし、すぐに活動を停止すると生命体として成立しない。そこで、一挙に死ぬことにならないようにバランスを保たないといけない。エロスとタナトスは究極の快楽を求める根源的な欲動の二つの側面です。タナトスが一気に死の状態を目指すのに対して、エロスの方は瞬間的な解放感、快楽を得て満足することによってストレスから解放されようとするあがきを弱め、タナトスが直接的に発動し、一気に最後まで行くのを防いでいます。それで通常はタナトスが抑止されているわけですが、トラウマになるような強いショックを受けると、タナトスが表面に現われてくることがあります。私たちは、タナトスが暴走してしまう危険を抱えて生きているわけです。

サド・マゾの再定義

タナトスは、サド・マゾヒズムとも関係しています。サディズムという言葉は、サド公爵★に由来します。フランス革命時のフランス貴族の作家で、当時としても不埒《ふらち》な性的関係をいろんなところで持ったために、牢獄に入れられます。その獄中で、相手を虐待することによって性的快楽を得ることをテーマにした、いわゆ

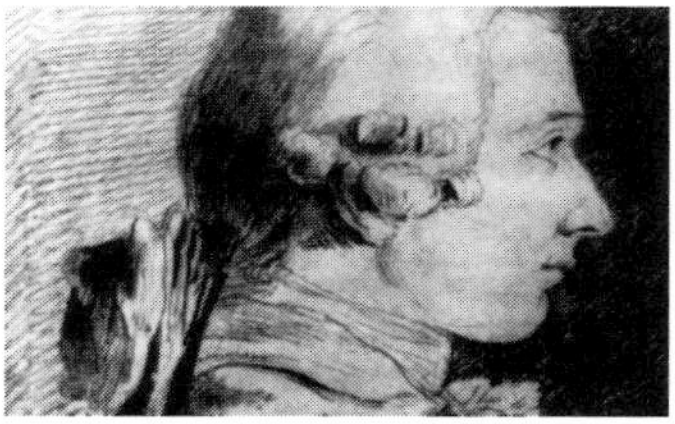

★マルキ・ド・サド
一七四〇〜一八一四。フランス革命期の貴族。作家。主な著作に『ソドムの百二十日』『ジュスティーヌあるいは美徳の不幸』など。

る「サディズム」的な文学作品を創作しました。サドがこういう作品を描いた背景には、純潔を説きながら、実際には淫らな快楽に耽るキリスト教の聖職者の偽善に対する反発があったようです。彼の作品では、修道院などでの性の乱れを描いたものが多いです。相手を虐めることによって快楽を得られるというのは、不道徳を通り越して非人間的であるように思われますが、登場人物たちはまるで求道者のようにどんどん淫蕩の道を究めて、道徳から自由になり、そうした考えを人類の間に広げようとします。サドはカントと同時代人なので、アンチ・カントのような存在と見ることができます。

マゾヒズムというのは、サドより一世紀ほど後に、現在、ウクライナになっているオーストリア帝国のガリチア地方で生まれたザッヘル＝マゾッホ★という、貴族出身の小説家の名前に由来しています。『毛皮を着たヴィーナス』という作品が有名ですが、ここでは女性から虐待されることで性的快楽を感じる男が描かれています。クラフト＝エビング★というザッヘル＝マゾッホと同世代のドイツ語圏の精神医学者が、「サディズム」「マゾヒズム」という名称を提唱しました。両方を合わせて「サド・マゾヒズム」と呼ばれます。

フロイトはこの両者について論文「性理論三篇」で、肛門など特定の部位への固執やフェティシズムなど、他の倒錯の諸形態と一緒に、「部分欲動 Partialtrieb」

★ レーオポルト・フォン・ザッヘル＝マゾッホ
一八三六〜九五。オーストリアの貴族、小説家。主な著作に『毛皮を着たヴィーナス』『ユダヤ人の生活』など。

★ リヒャルト・フォン・クラフト＝エビング
一八四〇〜一九〇二。ドイツおよびオーストリアの医学者、精神科医。小説家。主な著作に『性の精神病理』など。

に属するものとして説明します。「部分欲動」というのは、リビドーが性器を中心に働くのではなく、セックスとは直接関係のない対象とそれからの刺激にリビドーが固着してしまう現象です。乳幼児は、リビドーが全身にわたって流れるように働かず、さきほどの口唇期とか肛門期の話のように、一部の器官限定で働くことがあります。その状態が大人になっても残存し、正常なリビドーの働きを妨げるのが倒錯で、サディズム・マゾヒズムもその一種と見るわけです。たとえば小さい子供が、性的に勃起するわけでもないのに自分の性器を触ったり、口唇期に、口への刺激が欲しくていろんなものに噛み付いたり、しゃぶり出したりしますね。私も小さいとき、五歳くらいまでおしゃぶりを持っていた記憶があって、風呂から出たしゃぶっていたら、父親がすごく怒ってバスタオルで叩かれた覚えがあります（笑）。能動側か受動側かの違いはあるにせよ、他人の肉体と正常に交わるのではなく、どこか特定の部分に固執し、そこに痛みを生じさせることで快楽を得るのがサディズム・マゾヒズムだと見ていたわけです。サディストが同時にマゾヒストの傾向を示すように、両者は同じ種類の「部分欲動」の両側面なのです。

後期の著作『文化への不満』では、さきほどのタナトスを使って説明していますす。エロスと混合したタナトスがストレートに自己破壊に向かうのがマゾヒズムで、その攻撃の対象が他者に向かうと、サディズムであると説明します。説明の道具が、エロスからタナトスへと変化しますが、両者が、同じ欲動の両側面だということは同じです。

全体主義発生のメカニズムを説明したエーリッヒ・フロム★の有名な『自由からの逃走』でも、サド・マゾヒズムが論じられています。フロムによると、人間は母体から切り離されて寄る辺がなくなった無力感をずっと感じていて、それを埋めるための力を求めている。だから身近な者同士で共同体を作るのですが、近代にはその共同体も解体し、個人はいよいよバラバラになる。母胎の状態に戻ることはできないので、それは諦めて、自由な人間同士の関係を築くという態度に転換すればいいのだけど、それにはかなりの根気がいるので、安易に強い「力」に結びつき、保護されたいという欲望が常に働いているわけです。それが、ファシズムなどの原因となる権威主義的性格の根っこにある。大きな力を求めて、母胎の中にいるような安定を得ようとする衝動がサド・マゾヒズムの根底にはある。権威主義的性格の人は、大いなる力を持っているように見えるヒトラー★と同化し、無理な命令にも服従しようとするマゾヒズム的傾向を持つと同時に、そうやって自分が力に参与したことを示すため、自分より下位にいるように見えるもの、弱者に対しては理不尽な暴力をふるおうとします。サディズムです。サディズムは、

★ エーリヒ・フロム
一九〇〇〜八〇。ドイツの心理学者、精神分析家。主な著作に『自由からの逃走』『愛するということ』など。

★ アドルフ・ヒトラー
一八八九〜一九四五。ドイツの政治家、国民社会主義労働者党（ナチス）党首。主な著作に『わが闘争』など。

母胎回帰願望の歪みであるマゾヒズムの裏返しで、表裏一体になっているというわけです。こういうサド・マゾヒズム的な態度の露骨な人は、どんな組織にもいますね。こうした広い意味ではすべての人間、特に近代人はサド・マゾヒズム的傾向を持っていることになります。人間関係で、ストレスを抱えている現代人はその傾向をさらに強めている。だからこれは別に特殊な現象ではないわけです。フロイトやフロムのサド・マゾヒズムは、「欲望の主体」としての人間が、デカルト★やカントなどの近代哲学が想定していたのより、存外脆い、ということを示唆しているように思えます。

性の隠蔽と文明

年配の方ならまだ覚えていると思いますが、栗本慎一郎★が一九八一年に『パンツをはいたサル』という本を出してベストセラーになりました。タイトルは刺激的ですが、タイトルだけだと何についての本なのか分かりませんね。簡単に言うと、性的なものを抑圧する文化的装置についての本です。サルは性器の部分をずっとむき出しにしていますが、人間はそれを隠して、一定の手続きを経ないと

★ ルネ・デカルト
一五九六～一六五〇。フランス生まれの哲学者、数学者。主な著作に『方法序説』など。

★ 栗本慎一郎
一九四一年生。経済学者、評論家、政治家。主な著作に『パンツをはいたサル』『ブダペスト物語』など。

性交できないようにしています。それによって、性欲（リビドー）をむき出しにするのではなく、セーブすることになります。それに伴って、性あるいは生と関係するさまざまな欲求も抑制され、露出しないように外見を装う各種の様式が生じてきます。それが文化です。そういう文化的装置の象徴としてパンツってものがあると考えている。これはある意味で非常に分かりやすい話です。パンツをはくことで、「欲望の主体」になるわけです。

栗本慎一郎によると、人間はパンツをちゃんと履いたつもりだったけれども、現代人はパンツが脱げかかっている。ほつれているのかもしれませんが、露出してしつつあります。性だけではなくて、当時は金属バット殺人事件★をはじめ、それまでの常識からすると考えられないような事件も起こっていました。抑え込んでたはずの欲望、暴力衝動などが抑えきれなくなっているのではないか。

しかし、では、パンツに象徴されているような文明の抑圧装置は、本当に抑圧機能を果たしているのかというと、逆ではないかとも考えられます。単純な話ですが、サルはお互いの性器をみて興奮するかというと、しないですよね。下着というのは、焦点をあそこに合わせるという意味もあるように私は思います。たとえば、タンクトップを着ていると、脇を見せているような、ちょっとエロティックな感じがしますよね。でも海水浴場に行ったら、あれより遥かに露出が多い。

★　金属バット殺人事件
一九八〇年、二浪の受験生が金属バットで両親を殴殺し、受験戦争を象徴する事件として話題になった。

じゃあ海水浴場でみんな欲情しているかといえば、もちろんそんなことはありません。日常生活のタンクトップの方がそういう感じが強い。不思議ですが、これは昔から文学でよく言われてきたことで、隠すことでそこに何かあるように錯覚させるんです。もともとある程度は関心がないと隠しても意味がないのかもしれませんが、隠すことによって、そこに自分が求めるべき欲望の焦点があるように思わせる。罠を仕掛けることができる。文学でも芸術でも、「隠す」ことでそこに何かを思わせるという戦略があるんですね。

フロベール★というフランスの作家がいますが、エロティシズムの描き方が非常に上手い。『サラムボー』という古代カルタゴを舞台にした小説で、古代人の美しい女性を描くときに、足の先へと読者の視線を誘導するような描き方をしています。現代人なら考えられないですよね。どんなに美人美男でも、足の指先を見つめるというのは、相当なフェチではないかと思いますが、古代人だったらむしろその方が当たり前かもしれません。古代の地中海世界なので、腕のあたりはむき出しですが、普段から見ているので、さして関心が向かない。隠されているのは足の方です。だからエロティシズムも足の指先に働くということでしょう。フロベールはそういう描き分けがうまいとされています。

人間は隠されたものがあるところに自分の欲望の対象がある、と考えてしま

★ ギュスターヴ・フロベール
一八二一〜八〇。一九世紀フランスを代表する小説家の一人。主な著作に『ボヴァリー夫人』『感情教育』など。

う。到達できないような状況を作ることによって、「お前はここに行ってはいけない」と宣言することで、自分が欲しいものがあるように思わせる。つまり人間の欲望というのは、そういうものなのではないか。到達できない、あるいは禁じられてるからこそ、そこに欲望が生じるのであって、逆に、見せられたら幻滅するしかなくなってしまう。

ドゥルーズとガタリに『アンチ・オイディプス』という有名な共著がありますが、この著書で彼らは、精神分析自体が主体を騙し、従属化させる罠ではないか、と指摘しています。エディプス・コンプレックス仮説に立つ精神分析は、あなたの神経症の原因は、社会的に許されないがゆえに抑圧されている無意識の欲望だ、それは父を殺して母と交わろうとする近親相姦の願望だ、と刷り込みます。そう言われると、そういう欲望があるような気がしてきます。

実際に、多くの社会で、近親相姦は一般の人間にはタブーとされ、それが許されるのは神々とか神に近い神話上の人物だけです。しかし、本当に私たちには母や姉妹と交わって、父に取って替わろうとする欲望があるのか？「禁止」することによって母を所有する「父」の力が圧倒的なものであると印象付け、それに似たものになりたいという欲望、主体化への欲望を人為的に生み出しているのではないか。ドゥルーズたちは、人間は生まれたときから異性愛の男性的主体になりたいと欲するようになることが運命付けられているわけではなく、同性愛やバイセクシュアル、動物愛、フェティシズム、アセクシュアルなど、いろんな欲望の可能性があるのではないか、私たちが生きる近代社会はエディプス的な主体になることが私たちの本来の運命で、そうなれなかった者は社会に許容されることのない逸脱した存在であると見做されるよう、さまざまな性的禁止で誘導しているのではないか、と不穏な問題を提起しています。精神分析は、資本主義化と核家族化が進み、賃労働に従事して一家を養う主体になることがますます重視されるようになった社会において、エディプス的主体になるよう各人に、最後のダメ押しをする役割を担っているのではないか、という見方です。だから、エディプス神話から、「性の主体」の神話から解放される必要がある、というわけです。

猥褻をどう定義するか

私は近年、性的な表現が多い演劇にかかわっているせいもあって、「猥褻」とは何かという問題に関心を持っています。最後にその話をしたいと思います。第六講（［青版］収録）のゲストのあごうさとしさんと『触角の宮殿』という芝居をやったときの話をしました。三島由紀夫★が魅せられた、グイド・レーニ★の「聖セバスティアンの殉教」みたいなかっこうをした男性が、芝居の過程で全裸になります。劇場のある金沢の市民芸術村の受け入れ責任者が、「金沢なのでうるさいことを言う人もいるかもしれないから、宣伝パンフレットに、『性的な表現がありますのでお子様のご観覧はご遠慮願います』って書いたらどうか」と提案しました。私はそういう忖度はいやだな、と思っていました。少し話し合って、「性的な表現」ではなくて、「裸体表現」だったらどうかという案が出てきました。これも私はどうかなあ、と迷ったのですが、まあ、いいかという気になって、了承しました。実際にセックスするわけではないので、「裸体表現」という方が正確だし、後から話が違うとクレームを言われることはないでしょうが、経緯を知っていると、忖度しているような感じが嫌だし、聖セバスティアンを意識して裸体になること自体に性的なニュアンスがないわけではないので、違っているという感じもします。「性的表現」とぼかすところがいいんです（笑）。

で、本当にセックスをしたら、どうなるか、と考えてみました。うまく状況設定したら非常に芸術的な表現になると思いますが、ヘタにやると、役者や演出、舞台スタッフ含めて、そこにだけ関心が行ってしまって、ただのポルノになりかねません。その意味で危険です。ただ、セックス=非芸術と思っている人に挑戦

★ 三島由紀夫
一九二五〜七〇。小説家、劇作家、政治活動家。主な著作に『仮面の告白』『金閣寺』『憂国』など。

★ グイド・レーニ
一五七五〜一六四二。バロック期のイタリアの画家。劇作家、政治活動家。代表作に「アウローラ」「嬰児虐殺」など。左が「聖セバスティアンの殉教」。

することで生じる危険は無視すべきだと思います。あごうさんは、そこまではちょっと、という感じですが。

で、こういう問題は、「芸術」と「猥褻」という形で論じられることが多いのです。「あいちトリエンナーレ」の「表現の不自由展」をめぐって、公共の美術館では、「プロが芸術性ありと言えば、どんな作品でも芸術性ありと見なして展示していいか」という論争がありました★。芸術家サイドの人は、行政が作品の中身について注文を付ければ検閲になるので違憲だと主張していますが、一般論として、芸術家がお墨付きを与えればすべて展示すべき、ということにならないと思います。差別的表現とか暴力的表現を含んだものが展示されたら、おそらく、今、表現の自由を主張している人たちが反対に回るでしょう。特定の政党のマニフェスト、宗教の教義、運動団体の主張など、露骨に党派的なメッセージを含んだものも難しいでしょうね。それらを直接支持するためではなく、そういう主義主張が行なわれる現代の一風景を表現する、ということでもクエスチョンが付きそうです。いや、それは詭弁だという人が必ず出てくる。あとは排泄物ですね。大便を作品の一部にしたものが展示された例があるようです。気分が悪くなる人が出てくるでしょう。危険物も難しい。本当に火を使う展示とか。街中まで響く騒音を出す作品とかも。バンクシー★のような人を連れてきて、個人の住宅を

★　「表現の不自由展」をめぐる論争
二〇一九年の国際芸術祭「あいちトリエンナーレ」の企画展「表現の不自由展」の一部の作品が右派や名古屋市長の批判を受けて一時中止となり、その是非をめぐって論争となった。二〇二一年に大阪で開催された同展も右翼の攻撃や大阪市の反対などで開催が危ぶまれたが、司法判断によって実行された。

★　バンクシー
英国の匿名アーティスト。世界中の都市の街頭や壁面に作品を残すことで知られている。

含めて町中の至る所に落書きさせるというのもおそらく難しいでしょう。迷惑する人がいるので。そういう問題がいろいろあります。展示することによって、誰かを傷つける恐れがあるわけですね。

それらの中で、最も頻繁に問題になり、意見が大きく分かれるのが「猥褻」でしょう。猥褻表現は気分が悪くなる、人を不快にさせるし、場合によってはトラウマになるようなものは芸術でないと言う人がいる一方、前衛芸術は人間の常識的感性に挑戦するものだ、「性」の意味こそ最も挑戦すべきターゲットだという人もいる。ミケランジェロ★だったら問題なく、芸術作品なのに、同じような構図のものでも、それほど一般に知られていない日本のアーティスト、特にサブカルテイストの人だと、猥褻の疑いをかけられるのはどうしてか、ということがしばしば言われますね。

かつて『チャタレー夫人の恋人』というD・H・ロレンス★の小説が猥褻かどうかで裁判になりました。ちなみに『チャタレー夫人の恋人』を読まれた人はいますか？　現在では普通に売っていますよね。今読んでみて、そんな猥褻かと言われたら、なんでこんなのでそんなに騒ぐの、という感じです。この程度で猥褻と言っていたら、ほとんどの小説はセックスに言及するのを控えないといけなくなりますね。

★ ミケランジェロ・ブオナローティ
一四七五―一五六四。イタリア・ルネサンス期の芸術家、建築家。「ダビデ像」「システィナ礼拝堂天井画」など。

★ デヴィッド・ハーバート・リチャーズ・ロレンス
一八八五〜一九三〇。イギリスの小説家、詩人。代表作『チャタレー夫人の恋人』は性愛描写が議論の的となる。日本でも一九五〇年に出版された伊藤整訳が発禁、出版社と訳者が起訴され、有罪が確定した（現在は完全版が販売されている）。

猥褻かどうかは一応棚上げして、どこまでなら許されるかという線引きの問題がありますね。文字は許されるけど、映像だとまずい、ということになる場合がある。刺激が強すぎるということがある。ライブだと、さらにハードルが高くなりそうです。英米のポルノ規制をめぐる議論では、ライブでやるか、映像だけか、というのが境界線になっているようです。その場でやっているのを目にすると、刺激が強すぎるというわけです。では、「性的表現を含む演劇」の場合はどうなのか。セックス自体をやるわけではないので、それほど刺激的ではないでしょうが、人によっては、いきなりセックスを見せられたようなショックを受けるかもしれない――それが狙いでもあるんですけど、そういう実験はどこまで許されるのか。

ポルノ規制に準じて考えると、「公共性と私秘性」の問題でもありますね。自分で個人的に見るぶんにはいいけれど、公共に持ち出してはいけない。私秘的な刺激で止めるべきもの、つまり他人の目に触れさせると害を与えるかもしれないので限られた人の目にしか触れないようにすべきものと、公共的に表象していいものの区別があるはずだけど、そこが微妙なのでしょう。「公」と「私」です。ただ、芸術、特に前衛芸術には、そうした常識化した「公／私」の感覚の線引きに挑戦し、攪乱する、という側面があります。そういうものは、私たちの社会のルールでは、公的領域に出てくることを認められていない、と言われて簡単に引き下がっていたら、芸術とは言えません。常識を撹乱する芸術と、単なる場違いの迷惑をどうやって区別したらいいのか。

私たちは日常的に、さまざまな事物からいろんな刺激を受けています。心地よいものも不快なものもある。刺激が強いものもあれば、ほとんど何も感じず意識しないものもある。たまに、セックスと全然関係なさそうなのに、エロティックな刺激を感じさせるものもある。特に前衛的な作品ではなくても、芸術作品である以上、日常的な知覚の刺激のパターンとは異なったものを感じさせるのではないかと思います。

単なる性的猥褻物と、性的ニュアンスを含んだ芸術作品がどう違うか、私なりの基準を示して締め括ることにしましょう。普通の人は、セックスを示唆するものを見たり聴いたりすれば、ある程度、性的に興奮するでしょう。普通の刺激の回路をそのまま利用するだけなら、いわゆるポルノでしかないと思います。しかし、普段は使ってない欲望の回路を動員できれば、すぐれた芸術作品ではないかと思います。たとえば、女性の裸体を見ても普段はまったく何も感じない人が、ある特定のプロセスを通して、あるいは特定の背景の中で裸体を見せられて興奮してしまったとすると、きわめて芸術性が高いでしょう。さきほどの『サラムボー』の描写の話のように、どんな美女だって足の指先なんか全然興味ないという人が、思わずその指先に惹きつけられて興奮するような描き方や見せ方があるとすれば、それは天才的な技法でしょうね。それによって、その人が持っていた確固とした常識的生活感覚、公私の境界線のようなものまで変化させるとすると、誇張抜きに革命的芸術だと思います――本当にそこまで一気に変化させると、犯罪だ、あるいは通常の「猥褻」ではすまない新しい犯罪のカテゴリーを作る必要がある、と言い出す人も出てくるでしょう。

会場から

――栗本慎一郎さんの本について「現代人のパンツが脱げかかっている」とおっしゃっていましたが、結局のところ、今ではどうしてそのように抑え込んできたものがどんどん出てきてしまっているのでしょうか。あるいは現代社会がどうしてそうさせているのでしょうか。あと、最後に触れた刺激の作用と芸術をめぐる話について、もう少し具体的に、たとえば、今回、市民芸術村で公演された作品に即してお話しいただけないでしょうか。

「パンツが脱げかかっている」というのは、言い換えると、さまざまなタブーがなくなってると言うか、タブーが効かなくなっている、ということです。まず、「猥褻」に関する法的基準は確実に緩んでいて、現在では、小説でいくら過激な性描写をしても、「猥褻文書類頒布罪」に問われる可能性なんてほぼないでしょう。そもそも小説を読む人が少ないので、大した害を与えようがない（笑）。写真集にしても、ヘアヌードかどうかなんてあまり話題にならない。人気絶頂のアイドルがヘアヌードに近いものを出すと、どういう戦略かなという話題にはなるけれど、猥褻か芸術か論争にはならない。問題にならないので、「ヘアヌード」という言い方を知らない学生もいる。どんどん過激なものが出てくるし、ネットを通して拡散する。ＡＶなんてネットで無料で見られるものがかなりあります。警察も取り締まれないし、保守的な価値観の評論家もすべてに目くばせしていちいち怒っていられない。そのうちに、まあこんなものか、という感覚になってくるんでしょうね。

その背後に、神様が見ていらっしゃると常に感じて緊張感を抱かざるを得ないような宗教性を帯びた公共空間や、日常的な感覚までもお互いに規制し合うような共同体的な絆が崩壊し、他人がどういう趣味を持っているか、何に興奮しているかなんて、あまり気にならなくなったので、抑止力が落ちたということでしょう。かつてのように、強引に入ってはいけない聖域を設定したとしても、そこに何かすごいものがあるという感じはしなくなりました。皇居の中に何か神話的なものが潜んでいると思う人なんて、ほとんどいないでしょう。単に入っていけないところというだけで、垣根の向こう側に何か神秘的なものが感じられなかったら、タブーとは言えません。タブーを乗り越えることを本質とする前衛芸術は成り立ちにくくなります。超えていくべきタブーがないということは、父殺しして、「欲望の主体」になるのが困難になるということでもあるでしょう。

われわれがやった『触角の宮殿』というお芝居では、スーツを着た中年の男が机に向かって坐っていて、自分の人生の記録らしきものを読み上げていきます。その中身は、あごうさんの自伝と、鎌倉時代に生きた人物の伝記や随筆をモザイク的に混ぜたものになっています。机の横にはヴィクトリア朝のメイド風の衣装を着た女性がいて、楽譜をめくるような感じで、その台本をめくってやっています。その横に、中年男の分身のような褌《ふんどし》だけの若い男が両手を縛られた形で立っています。中年男の自伝には、▽▽と〇〇という場所で天下の行く末について語り合っているとき、◇◇を見て私は思わず勃起した、というように場違いな箇所で性的に興奮してしまい、それが人生の重要な転機になったことを示唆する台詞が随所に出てきます。すると、褌の男の体が反応し、踊り出します。そうした体の反応を罰するように、ヴィクトリア朝風の女性は、男の手の縄を引っ張ったり、拷問するかのように男の体に白いペンキのようなものを塗りたくったりします。塗られると、また男の体が反応します。最後には縄と褌を切って男を丸裸にし、全身を真っ白けにしていきます。精子をまき散らしている感じです。若い男の身体が解放されて、真っ白になって踊り出すようになると、それと反比例するように中年男の身体は弱っていき、ついには昭和天皇★の臨終のシーンと重ね合わせるように消滅していきます。若い男の身体が苦悶しているところを、背後の壁に大きな影で映し出されるように工夫しました。ヴィクトリア朝風の女性の身体の様子も徐々に変化していきます。

そうした身体の奇妙な反応に、お客さんが、ストレートにセックス的なものとは異なるエロティックなものを感じ取ってくれたら成功という感じです。同性愛傾向をほとんど示してないような人が、音楽や若い男の体の動き、あるいは中年男の語る物語に誘導されて、「なんかちょっといけないもの見ているのではないか？」と感じたとすれば、それはふだんその人が感じている欲望の回路とは違うものが作動したということになるでしょう。ヴィクトリア朝風の女性の身体は、黒い衣装で隠されているのですが、その衣装の下にどういう欲望が隠されているか、何の変哲もないスーツ姿の中年男の衰えつつある身体を流れるリビドーはどうなっているか、普段そういうものに関心がないお客さんの中で、変な想像が思わず働いてしまったら大成功ですね。

――エロスが「愛」なり「性欲」なりだとして、それは最終的に「価値」を求め

★ 昭和天皇裕仁
一九〇一―八九。一九二六年以後の在位中に日中戦争と太平洋戦争を開始し、戦後は「日本国の象徴」となる。八八年の重体報道以後、日本各地で過剰な「自粛」が拡大した。

るものだと考えればよいのではないでしょうか。人間であれば誰しも価値に対する欲求を持っています。これは私の考えなのですが、そうした「価値」は「仕掛け」として利用されている感じがするんですよね。たとえばさきほどサルは性器を見て欲情するわけではないという話になりました。これはつまり発情期でなければ欲情しないということですが、人間はいわゆる「生殖の欲求」を常時抱いている。大脳皮質が覚えてしまっているからだ、と言われています。「生殖の欲求」はもっと原始的なところにあるはずですが、それを引き出す「仕掛け」として、大脳が「価値」と呼ばれるものを作ってしまっている。生殖でも、あるいは支配でも経済でも、いろんな活動に常時夢中になり、努力し続けられるよう、「仕掛け」としてさまざまな「価値」を作り出しているのではないでしょうか。一つの「価値」を作り出すと、その「価値」を実現するための別の価値を作り出す。子孫を残して繁栄するという価値を実現するために、経済的財の生産という価値や、お互いの領分を犯さないための法的正義という価値を作り出し、という感じで、夢中になるための仕掛けをどんどん増やしていく。

非常にうまくまとめていただいたと思います。脳は、自分の中に潜んでいる欲求を掘り起こし、随時快楽を得るために、「価値」という「仕掛け」というか、フィクションを利用しているわけですね。動物的な欲求は一度充たされたらそれで終わりで、しばらく眠っていますが、それを「仕掛け」によって目覚めさせる。直接知覚できないものを目指すように誘導する、「禁止」による「タブー」の設定は、かなり高度な仕掛けでしょうね。おそらく言語や記号を介した記憶の問題とも関係しているでしょう。人間の場合は、一度経験した快楽を記号化した形で記憶していて、その記号に接すると、快楽を思い出すことができる。たとえば、恋人と交わした言葉とか、思い出の場所とか、プルースト★の『失われた時を求めて』のように、そのとき味わった甘いお菓子の匂いとか……。

おっしゃるように、そうやって記号化された諸価値はどんどん増えていきます。記号によって自分を刺激するのが習慣になると、いつも興奮していないといけなくなる。脳の中での処理も大変になるでしょう。バタイユ★が言うように、膨れ上がった欲望を蕩尽することが必要になるでしょう。比較的プリミティブな社会であれば、祝祭のときに一挙にそれを爆発させればよかった。それがいわゆる「聖なるもの」の起源です。「聖なるもの」に接した恍惚状態の中で、さまざまな価値を求める欲望の回路を一挙にショートさせ、動物的、根源的な欲求を思いっきり発散させ、リセットする。瞬間的にパンツを脱ぐわけですね。あくまで瞬間的

★ マルセル・プルースト
一八七一〜一九二二。二〇世紀フランスを代表する小説家。『失われた時を求めて』は、その代表作。

★ ジョルジュ・バタイユ
一八九七〜一九六二。フランスの思想家、作家。主な著作に『マダム・エドワルダ』『呪われた部分』『エロスの涙』など。

です。常にパンツを脱いでいたら、つまり「価値」を放棄して、欲求を直接的刹那的に充足することに夢中になったら、人間らしい社会生活は無理なので、「聖なるもの」は普段に触れられないようにしておく。「禁止」「タブー」ですね。

しかし、社会が次第に複雑になり、価値の記号が増えると、一度の祝祭では処理しきれなくなる。資本主義経済のように、普遍的価値の記号としての貨幣を蓄積し続けるシステムができあがると、それまで溜めたものを全部一挙に破壊して、ゼロからやり直すことはできません。お祭りをやっている間も、明日の仕事のことを考えないといけない。そこで仕事しながらでも、快楽を感じるための新しい価値の記号を作り出し、それを充たそうとするわけですが、そんなことをやっていたら、ますます脳が休めなくなる。蕩尽する機会がないので、ストレスがたまる。栗本さんは、金属バット殺人事件のようなことを起こるメカニズムを、そういう風に説明していたのではないかと思います。

――今おっしゃったバタイユの蕩尽にしても、死のエロティシズムや神秘主義につながっていると思いますが、神秘主義をどう捉えたらよいでしょうか。

神秘主義（mystericism）というのは、字義的には、「聖なるもの」に触れる秘儀

（mystery）に参加することですね。キリスト教だと「聖なるもの」は厳粛で静かな雰囲気ですが、バタイユに即して考えると、「聖なるもの」とは、価値を一定の手順や様式に従って追求する欲望の複雑な回路をすっとばして、一挙にエネルギーを放出させるよう働きかけるものですから、激しい情念や運動を伴うでしょうし、さまざまな形のエロスと結び付いているはずです。エロスがどんどん高まっていって最高潮に達し、通常の社会規範が効力を停止する、つまり欲望を制御し、秩序を守らせている内的な装置が解体してしまうのが、神秘主義だということになるでしょう。

第9講

宗教と哲学

救済は現代人にも必要か

2019年10月19日

哲学と人生相談

宗教と哲学というテーマについては、昔からいろいろなことが言われています。最近はユルゲン・ハーバマス★が宗教と世俗化された社会の関係をどう考えるべきか、という視点から議論しているので、それを参考にしながら考えたいと思います。

ハーバマスは今年〔二〇一九年〕で九〇歳になりますが、現存のドイツの哲学者のうちでは最も影響力のある人ですね。彼の影響はドイツ語圏に限定されません。一九六〇年代の始めから長年にわたって、民主主義や公共性、討議倫理などをめぐる、英米を中心とする社会哲学上の議論をリードしてきた人です。現在のマスコミ・レベルでの知名度だったら、サンデル★やガブリエル★の方があるかもしれませんが、理論的な影響の広がりということでは、ハーバマスでしょう。

哲学を専門に学んでいる人は、宗教と哲学が違うのは当たり前だと思っている

★ ユルゲン・ハーバマス
一九二九年生。ドイツの哲学者、思想家。公共性論、コミュニケーション論で知られる。主著に『公共性の構造転換』など。

★ マイケル・サンデル
一九五三年生。アメリカの政治哲学者、倫理学者。日本でも二〇一〇年にNHK教育テレビで放映された「ハーバード白熱教室」が話題になった。

★ マルクス・ガブリエル
一九八〇年生。ドイツの哲学者。主な著作に『なぜ世界は存在しないのか』など。

のですが、一般には、宗教と哲学が共通していると思ってる人は多いんじゃないでしょうか。これはなぜかというと、哲学が人生の問題に対して──答えは与えてもらえないとしても──何かを探している、というイメージがあって、そこが宗教と重なって見えるのでしょう。ただ、世間ではそういう人生相談的なものが哲学だというイメージがありますが、大学で哲学を研究している人のほとんどは、そうは思ってはいません。

本やメディアで人生相談的なことをしている哲学者がいますが、あれは本気ではなく、世の中に求められるから仕方なくやっているだけです。哲学の歴史を考えると、人生相談的なことを語る哲学者はほとんどいないはずです。古代のストア派にはそういう面もありましたが、おそらく直接的には、高校の倫理の教科書にも載っている実存主義系の思想が「個人」の生き方における決断を強調するので、人生相談的な印象が強くなっているのでしょう。しかし哲学が実際にやっているのは、存在とは何か、真理とは何かといった、きわめて抽象的な問いです。

存在とは何かを考えるとき、それがその人の生き方の根本に関わるという関心の持ち方する人も、すごく少ないとはいえ、いると思います。しかし、人が普通に生活しながら抱いてる人生の悩みは、存在とは何かとか、真理はどうやって確定するのかとか、抽象的な性質のものではありません。「人生の悩み」は、そもそもどうやって生じてくるのか、あなたはどうしてそれに拘っているのか考えてみましょう、と突きつめれば間違いなく哲学的な問いになるはずですが、現に悩んでいる人にとっては面倒な話ですよね。本当に哲学的な関心と人生の悩みに答えてほしいという要望は、そこで分離していきます。

神学と哲学

「哲学」にはいろいろなテーマや方法があり、「宗教」の方もそもそも何をもって宗教というのかというレベルでさまざまな見解や不一致があるので、両者の関係はまとめにくいのですが、キリスト教の神学とキリスト教圏で発展した、中世から近代初期の哲学との関係だと、比較的はっきりしています。高度に組織化されていて文書化された教義を持っている宗教は、教義を論理的に体系化して説明して、世界に起こっている事象すべてをその体系で説明しようとします。宗教としての論理的完成を徹底的に追究するという点に関しては、哲学と似てくる面もあります。

しかし、神学はあくまでも自分の教義が正しい、（自分たちの）神がやっていることは正しいという前提に立ちます。教義の正しさが個人の救いにつながる、という前提で考えていくんですね。それに対して哲学は、どんな問題であれ、疑問に対して答えを出すことよりも、どういう問いを立てるか、どういうプロセスで考えを進めるかに関心を持つわけです。じゃあ、どうやって問いを設定するのか。

哲学は抽象的なので、どの具体例から考えていくかによって、考えていく方向が規定されます。たとえば、われわれが自分の肉体が存在していると言うときの「存在」と、意識が存在しているというときの「存在」は同じか、あるいは、お金が「ある」というときの「あること（存在）」はどうか。「存在」という言葉は、「困った存在」とか「見知らぬ存在」というように個別に存在しているものを指している場合、あるいは、「被疑者の存在」とか「彼の存在」「○○という事実の存在」というようにそうした個別の存在が現に「あること」を意味している場合、そして抽象的な意味での「存在」を意味している場合がありますね。では個別の「存在」と、「存在」それ自体はどういう関係にあるのか？

いかにもとりとめもない話をしているようですが、「哲学」は、「存在」に関係する言葉がどのように使われているかを調べることで答えを出そうとします。「貨幣」とか「契約」「合意」の「存在」のように、ある特定の関係にある人同士の約束事としてしか「ある／ない」を語れないものと、犬とか猫とか家のように、物理的に実在していると万人が認めざるを得ないものを区別し、そのうえで電子や光子のように理論上は存在するけれど、一定の規則に従って動作する測定機器がないとその存在が確認できないものはどうするか、といったことを手掛かりに議論を進めていきます。あるいは、日本語で言うと、「〜がある」と「〜である」の関係とか、文法など言語的な規則を手掛かりに考えます。精神的な存在と物理的な存在の関係についても何かの規則が見つかるかもしれません。むろん、この「存在」や「精神」「物質」「心」「正義」など、哲学のテーマになりそうな基本概念に関連した語彙や文法は、言語ごと、専門分野ごとにかなり違うということか、場合によってはどの概念がそれに相当するかさえ分からないことがあるので、言葉の違いによってまったく違う哲学体系ができあがることがしばしばあります。後期ハイデガー★は、言語ごとの「存在」の捉え方が違うことに拘りますし、ガブリエルは、自然科学、社会科学、芸術、宗教、サブカルといった対象領域ごとに異なった「存在」の意味がある、という立場を取っています。英米の分析哲学は、そういう言語ごとに基本概念が異なるという発想を嫌って、普遍的な意味を確定しようとします。

いずれにしても、哲学はさまざまな言葉で表現される概念の意味を掘り下げようとするので、問いは無限につくられていきます。ソクラテス★の問答なんかそう

★ マルティン・ハイデガー
一八八九〜一九七六。ドイツの哲学者。主著に『存在と時間』など。

★ ソクラテス
本書一一頁の脚注を参照。

いう感じですね。「哲学」は、言葉を手掛かりにさまざまな方向に問いを拡張していくものです。ヨーロッパの中世では、キリスト教の教義が絶対的な権威を持ち、教義に反する方向に思考を展開することは許されなくなり、「哲学」も「神学」に従うようになりました。トマス・アクィナス★など、中世の神学者が使っていた「哲学は神学の婢《はしため》である」というフレーズに象徴されるように、自由に問いを立てる哲学よりも、思考の最高の原理である「神」を起点にする神学の方が上と見なされていたわけです。中世の大学では、神学を筆頭に、法学、医学が専門として教えられていましたが、そのための基礎となる自由七科などを教える予備部門が、哲学部と呼ばれていました。神学を学ぶための頭の訓練という感じだったのでしょう。中世の神学者たちは、普遍論争のようにきわめて哲学的な議論をしていますが、どうしても最後の根拠付けとして「神」を持ち出してきます。トマスのようなアリストテレス★の影響を受けた神学者の著作は、哲学なのか神学なのかどちらにも分類できそうなものが結構ありますが、ただ、彼らは哲学的に見える議論をしているときでも、聖書を典拠にします。聖書に書かれている、超自然的な出来事や神や預言者の言葉を根拠に議論を進めているわけです。

★ トマス・アクィナス
一二二五〜七四。イタリアの神学者、哲学者。主な著作に『神学大全』など。

★ アリストテレス
本書二六頁の脚注を参照。

デカルトの「神」

近代以降の哲学は、神学から一応自由になったとされていますが、長いこと神学を前提に考えてきた名残りか、肝心なところで神を根拠として持ち出してくることがあります。デカルト★が有名ですね。デカルトは、疑うことができるものは疑って、私が存在することだけは疑えない、という真理に到達した。「考えている私」が存在していることをすべての命題の大前提にしようとしたわけです。しかし、それで疑問がすべてなくなったわけではありません。私が自分ではちゃんと考えているつもりでも、自分の思考を「悪しき霊」が惑わして、ありもしないことを考えさせている可能性もあります。狂気の人は、自分ではまともに考えていると思っている。私自身は、狂気ではないとどうして言えるのか。理屈が通じない人のほとんどは、自分は論理的に考えていると思っています。

ネットの自称「論客」は、自分では、しごく論理的に考えているかのような体《てい》で偉そうなことを言いますね（笑）。どうやったら私は「悪しき霊」を振り切って、自分が見ているものが真実だと言えるのか、と問いかけます。そこで彼は神を持ち出します。私を創造した神が存在するとすれば、神は善なる存在なので私を欺くはずがない、神から与えられた能力を正しく使う限り、私は論理的に考え

★ ルネ・デカルト
本書六五頁の脚注を参照。

ることができる、と主張します。

現代人の常識で考えると、ここで「神」と言ってしまうと、もっとおかしくなるんじゃないかという気がしますね（笑）。ただ、デカルトがどういうつもりで言ってるかはわかりますね。神が導いてくれていると想定しないと、自分が論理的に思考していると確信できなくなり、不安で立ちすくんでしまうわけです。哲学を成り立たせるには、神が導いてると想定するしかない。哲学的な思考に徹しようとしてすべてを疑っていると、自分が論理的だと思っている今の自分の考え方自体がおかしいんじゃないか、哲学するなどと偉そうなことを言っているけど、狂った人間の妄想じゃないのか、と思えてくることはあります。そういう疑いを抱いてこその哲学だと思いますし、そういう自分の存在を疑ってしまうような――ある意味、病的な体質の――人が、哲学に関心を持つのだと思います。そのとき、何かに保証を求めてしまいます。現代であれば、心理学とか精神医学のようなもので自分が正気か確認しようとするかもしれませんが、そんなもの当てになりません。心理学や精神医学が教えてくれる〝答え〟だと思っているもの自体が、自分の頭の中だけの妄想かもしれません。

教師をしていると、つまり他人に教えていると、自分の存在とか思考能力まで疑わなくても、教科書に書いてあって、自明の理として教えていることについて、なぜそういうことになってるんだっけ、と素朴な疑問を抱いてしまうことがあります。「さっき『私たちが生きている市民社会』と言ったけど、『市民社会に生きる』ってどういうことだったたっけ？」というような感じで。そうやって疑問に感じ始めると、いろいろ間違ったことを教えていないか心配になってきます。考えすぎると疲れるし、自信がなくなるので、さっさと答えをくれる権威にすがりたいという人が出てきてもおかしくありません。ネットの中で「神！」が求められるのも、そうした不安を抱く人が多いからかもしれません。哲学することは、人によっては不安を増大させ、宗教的なものを求めさせることになるのかもしれません。私自身は、自分の知の根拠に不安を覚えても、それが生きることへの不安にまで繋がることはありませんが。デカルトのような偉大な哲学者にとっては、知への不安と、存在することに関する不安が表裏一体なのかもしれません。

ルソーの「神」

ルソー★は、人びとに社会契約を成立させるには神が必要であり、一度社会契約が成立しても、それに対して人びとがコミットし続けることが必要だと主張しま

★ ジャン＝ジャック・ルソー
本書三二頁の脚注を参照。

した。彼はキリスト教の押し付けがましさに反発していましたが、神や宗教を信じることの効能は認めていました。社会契約を結ぶには、どういう内容について合意するのかを明らかにする必要があります。誰かに原案を起草してもらわないといけない。その原案の作成が大変です。その原案を作る人を、ルソーは「立法者 législateur」と呼びます。立法権者ではありません。立法権者は、人民自身です。「立法者」は、みんなが合意してくれるような原案を作らねばなりません。その契約を結んで一つの人民となり、一つの国家を作り、みんな=人民が主権者として作った法に各人が従うようになれば幸福になれる、という確信を、これから契約に参加する人たちが共有する必要があります。

しかし、そうした理想国家に生きて、一般意志の表れである「法」に従って生きたという経験のある人はいません。「法」と名の付くものがある「国家」に生きた人ならいるかもしれませんが、それはルソーが考える社会契約に基づいた本来の国家ではないし、そこで「法」と呼ばれているのは一般意志の表現ではなく、おそらく上から押し付けられたものか、昔からの掟のようなものでしょう。理想の法体系を持った理想の国家なんて誰も経験したことがないのに、どうしてそういう国家の人民になるという契約に合意できるのか。しかも人民としての幸福とは一時的なものではなく、何世代にもわたるものでないといけない。「立法者」

は、どういう内容の契約ならその人民が何世代にもわたって幸福であり続けられるかを知っていないといけない。人びとが激昂したり、有頂天になって我を忘れるようなとき、無分別なことをしないよう、感情をクールダウンさせるような仕組みを盛り込む必要がある。その仕組みがちゃんと機能するには、「立法者」はその人たちのことを深く知っていないといけない。しかし、「立法者」が憲法原案のようなものを作ることで何か利益を得られるような利害関係者だと、人びとは信用してくれないでしょう。つまり、その人びとの性質を完全にお見通しで、なおかつその国の将来の土地と人民に対して利害関係を持たない存在として人びとから信用されないといけません。つまり、神々のような権威を持った存在をつれてきて原案を示してもらわないと、社会契約を結べないわけです。

だから、そもそも本来の社会契約が成立しそうにないのですが、仮にいったん成立したとしても、人間は気が変わりやすく、飽きっぽい存在です。その一般意志に基づく統治体制への忠誠心を失いがちです。そこでルソーは、キリスト教会の信仰告白のように、自分たちの選んだ体制に対する信仰告白を核とする「市民宗教 la Religion civile」を提唱します。この宗教の教義は、神の存在、死後の生、正しい者の幸福と悪しき者の不幸、社会契約と法の神聖さに対する信仰、そして宗教的不寛容の禁止など必要最小限のものだけにし、市民たちはそうした教義へ

ジャン＝ジャック・ルソー

の信仰を公共の場で告白することを義務付けられます。

これは単なるルソーのアイデアに留まりませんでした。フランス革命のとき、革命を指導するジャコバン派★が、ルソーの影響を受けて、革命のための宗教を確立しようとしました。エベール★とモモロ★は、ノートルダム寺院を、キリスト教の神に代わって理性をまつる寺院に変え、「理性の祭典 Fête de la Raison」を行ない、ここを起点に全国各地でこの祭典を展開しました。その後、エベール派などを粛清して独裁的権力を握ったロベスピエール★は、「理性の祭典」が無神論に基づくものであることが強調されたことを問題視し、人間の道徳性を培うには道徳の源泉として神に対する信仰が必要だとして、チュイルリー宮殿やシャン・ド・マルス公園で「最高存在の祭典 La fête de l'Être suprême」を実行しました。

カント以後の「神」

カント★は、「実践理性」が、自由、魂の不死、そして神の存在を要請すると説いています。実践理性というのは、普遍的な道徳的な法則を見出し、それに従って自己を律する理性です。カントは、実践理性が意味を持つとすれば、三つの前

★ ジャコバン派
フランス革命期最大の政治結社。急進的な独裁政治を担ったが、一八九四年の「テルミドールの反動」以後、失速する。

★ ジャック・ルネ・エベール
一七五七〜九四。フランス革命期のジャーナリスト、政治活動家。

★ アントワーヌ＝フランソワ・モモロ
一七五六〜九四。フランス革命期の出版者、政治活動家。

★ マクシミリアン・ロベスピエール
一七五八〜九四。フランス革命期の最も重要な政治家、革命家。

★ イマヌエル・カント
本書三四頁の脚注を参照。

提が必要だと主張します。それが要請ということです。まず、すべては物理的必然性によって規定されているのではなく、人間が自分の意志で行動を選ぶ自由があること。そうでないと〝道徳的法則〟があっても意味はありません。脳を支配する物理法則が全面的に私の意志を支配してはいない、理性が働く余地があるということです。さらに自分の魂が何らかの形で自分の死後も継続していくことが必要です。自分が死んだ後は無になるのであれば、生きている間にどのような悪事を働き、多くの人から非難されようと、無になった自分はもう関知しようがありません。良心の呵責は死んだ瞬間に消えてしまいます。しかし現在のような状態ではなくても、何らかの形で自分の霊魂が生前の記憶と共に存在し続け、生前にやったことの報いを受けるとなると話が違ってきます。ただ報いと言っても、生きている人間が死者に制裁を加えることはできません。また、彼が生前罪を犯しても誰も気づかないかもしれない。さらに言えば、それが本当に罪と言えるかどうか誰が正しく判定するのか。そう考えると、その人のやったことをすべて知り、それを正しく判定し、魂になっても報いを与える神の存在も要請されるわけです。人間が道徳的な法則に従わなければならないと考えるなら、これら三つの前提が必要だ、というのがカントの考えです。魂の不死も神も宗教の範疇ですね。『単なる理性の限界内における宗教』という著作で、カントはこうした実践理性の観点から許容可能な宗教とはどういうものかを論じています。簡単に言えば、三つの前提に基づいて、自らの内なる悪への傾向（根源悪）を克服し、善に生きようとする人びとの共同体として宗教を捉え、そうした合理的な根拠に基づかない啓示や儀礼、慣習に基づく通常の意味での宗教を批判します。神の権威によって理性的思考を抑圧してきた宗教から、神を取り戻そうとしている感じですね。

ヘーゲル★の場合、「絶対精神」自体が神だと言えなくもないわけですが、絶対精神の自己展開の過程で、宗教が現れてくると主張します。理性が発達していない段階の人間にとって、「絶対精神 der absolute Geist」は、宗教における神として現れます。「絶対精神」というのは、この世界を生み出し、動かしている「精神 Geist」の本来の姿です。歴史発展の初期の段階では「精神」は、物心がつかない子供のように、自分が何者で何を目指しているのか分かっていません。人間という理性を持った存在が現れ、次第に自分たちがどういう存在か考え、自己実現するようになるにつれ、「精神」は自分のことを徐々に知るようになります。私たち各々は、いわば世界そのものであり、歴史を動かす「精神」の分身です。私たち各々の意識や理性、あるいは集団的な営みとしての学問や芸術の総体が「精神」です。私たちは脳細胞、あるいは脳細胞の結合によって生じる脳内の作用で、脳内のさまざまな作用の合成として生じる私たちの自己意識が「精神」だ、とい

★ ゲオルク・ヴィルヘルム・フリードリヒ・ヘーゲル
本書三五頁の脚注を参照。

うアナロジーで考えればいいでしょう。

「精神」はさまざまな人間や集団をコマにして、いろんな文化の形態を生み出しますが、そこに安住することはありません。ある文化形態が定着すると、それを否定するような要素がその内に生じ、元の文化と対立するようになります。たとえば、封建的支配体制による秩序において、領主が臣下にさまざまな仕事をさせ、自分の権力を増大させています。すると、いろいろな仕事をしているうちに臣下も能力を身に付けていきますが、臣下に任せっぱなしの領主は次第に自分では何もできなくなります。そうすると領主と臣下の力関係が逆転し、闘争が生じ、その結果、新しい秩序が生まれる、という具合です。あらゆる実在する事物に自己否定する要素が備わっていて、その緊張関係が顕在化し、闘争の末に新しいものが生まれてくる、という発展の法則を「弁証法 Dialektik」と呼びます。

「精神」は自らの分身たちを戦わせて、より高次の、すなわち「精神」自身をより包括的に洗練された形で反映する文化形態を生み出していきます。そうやって自分の本質に次第に迫っていきます。「精神」が、自分がどういう存在か完全に把握した状態を「絶対精神」と呼びます。倫理の教科書に出てくる「絶対精神の自己現前」というのは、歴史の最後に、人間たちの理性の完成を通して、「精神」が自分のことを完全に知るに至った状態です。

その意味で「絶対精神」は私たちの生や意識、理性の根源ですが、歴史の始まりにおいて、人類は自分たちの根源が何か分かっていない状態にあります。そのため、自分たちを一定の方向に向かって変化させ、理性的に振る舞うように仕向ける、内なる「精神」の働きがストレートに理解できず、自分たちの外から働きかけてくる不可思議な存在と捉えます。そのために最初は、光とか植物、動物のような外的な対象を「神」として表象していたが、次第に人間の姿をした神のイメージが生まれてきたとされます。そして、次第に神像や神殿など、宗教的な建造物によって自分たちの「精神」を芸術的に表象するようになります。ギリシア人たちは、芸術的表象を中心に祝祭共同体を作り上げました。そして、イエスの十字架を通じての神と人の和解という教義を構築したキリスト教によって、人間が最終的に自らの本質である「精神」を知り、それによって、「絶対精神」が現れる、歴史の「終わり＝目的 Ende」が告知される。そうヘーゲルは言います。

ヘーゲルの弁証法的な歴史観は、人類始祖の堕落によって始まった歴史が善悪の闘いという形で進行していく、というキリスト教の歴史観の焼き直しだとよく言われます。キリスト教では、神が人間を霊的覚醒へと次第に導き、イエスの死によって、罪から贖い、和解へと至るわけですが、ヘーゲルの歴史哲学では、さまざまな分身を駆使して、自らの本質を知ろうとする「精神」が、神と人間の二役を果たしているわけです。ヘーゲルの神は、自己の本質を知ろうとする人間の精神活動が人間の外にあるかのように表象されたものです。マルクスは、ヘーゲルの歴史哲学から絶対精神とその化身である神を取り除き、物質の運動法則によって、堕落、つまり原始共産主義社会から転落した人類が階級闘争を経て、共産主義社会に回帰するという唯物史観を構築したとされています。唯物史観なので神は出てきませんが、まるでキリスト教の善悪の闘争の歴史のように、二項対立によって歴史が展開し、決まったゴールに向かって進んでいくことが想定されている、と言われています。

ヘーゲルのように「歴史」全体を神と見る思想は一九世紀のもので、現代とは関係ないように思えるかもしれませんが、そうとも限りません。一九世紀後半に生まれ、二〇世紀半ばまで活動していたホワイトヘッド★という数学者兼哲学者がいます。分析哲学の基礎になる数理哲学を構築した人の一人ですが、神学的理論を展開していたことでも知られています。彼は、この宇宙を絶えず生成を続けるさまざまな出来事の連鎖と見なし、あらゆる出来事の中に潜んで生成を引き起こしているものとして神を捉えます。ただし、神は不変ではありません。生成変化する出来事とともに、神もまた生成すると想定します。

政治哲学では、政治や法の根底には必然的に神学的な構造があるとするカー

★ アルフレッド・ノース・ホワイトヘッド
一八六一〜一九四七。イギリスの数学者、哲学者。主著に『観念の冒険』など。

ル・シュミット★の理論が知られています。彼は『政治神学』という著作で、「主権者とは例外状態について決定する者である」と述べています。法秩序がうまく機能しているときは、誰が最終的決定権者か考える必要はありません。しかし、国家が危機に瀕し、いつ秩序が崩壊してもおかしくない例外状態では、そもそも何をもって例外／通常を区別するのか、これまでの秩序が崩壊したのであれば、どのような秩序を再建すべきかを決める必要があります。それを決めるのが主権者です。言ってみれば、カオスから秩序を生み出す創造者です。創造者である主権者は、普段はその本来の力を行使する必要はありませんが、秩序に綻びができたときだけ、秩序の再構築のため介入する必要があります。世界を創造した神が、通常は自然の摂理の進行を見守っているだけで、世界の秩序に大きな乱れが生じたとき、奇蹟という形で介入してくるように。

シュミットに言わせると、近代のメインストリームになっている、自由主義的な政治や法の理論は、個人の権利の尊重、多元性、話し合いばかり重視しますが、最後にどう決めてまとめるかを考えていません。だらだらと議会でおしゃべりを続けるばかりで、実質的な合意に到達できないで、何度も同じような話を蒸し返している。敵がきたらどうするんだ。本当に敵がきたら、さすがに誰かに決定権を委ねないと秩序が崩壊すると分かるだろう。そういう観点から、彼は最終的な

★ カール・シュミット　一八八八〜一九八五。ドイツの憲法学者、思想家、法哲学者。主な著作に『政治的ロマン主義』『パルチザンの理論』など。

決定と、それを行なう「権威」の所在を重視します。さきほどのルソーの「立法者」の話と重なりますが、シュミットは、法も政治も一番最初に最も基礎的なことを決定し、それにみんなを合意させないと、何も動き出さないことを指摘します。そうした「始まり」について掘り下げて考えると、神の権威が必要になると率直に論じるのがシュミットです。

シュミットは自分の先駆者として、フランス革命に際して神学的な観点から反革命論を展開したド・メストル★とボナール★、そして二月革命時のスペインの哲学者でカトリック的な視点から反自由主義的な哲学を展開したドノソ・コルテス★などを挙げています。彼らは神学者ではなく政治家で、純粋な信仰に根ざした神政政治を目指していたというより、人間が堕落し切っていて自分を律することができないので、カトリック教会のような権威がないとダメだと考えたわけです。私たちの内に欲望のままに振る舞おうとする根源悪があるからこそ、三つの実践理性の要請に従う必要があると考えたカントの考え方を、もっと開き直った形にし、理性の限界を超えたものへの信仰を復活させた感じですね。一九世紀のドイツの法学者で、「法治国家」概念を定式化したことで知られるフリードリヒ・ユリウス・シュタール★も、プロテスタント神学の立場から民主主義を相対化し、教会の権威を背負った君主が最終決定権を持つことの重要性を説いています――シュ

★ ジョゼフ・マリー・ド・メストル
一七五三〜一八二一。フランスの外交官、王党派、保守主義者、反革命家。

★ ルイ・ド・ボナール
一七五四〜一八四〇。フランスの著作家、政治家、反革命家。

★ フアン・ドノソ・コルテス
一八〇九〜五三。スペインの貴族、外交官、保守主義者。

★ フリードリヒ・ユリウス・シュタール
一八〇二〜六一。ドイツの憲法学者、政治哲学者。

タールについては、拙著『思想家ドラッカーを読む』(NTT出版)で論じました。

彼らに言わせれば、人間が自分たちの間の合意で〝権威〟を作り出しても、相対的なものに終わってしまいます。近代では人間はみな平等とされていて、その平等な人たちの多数決で方針を決定しますが、人びとの気が変わったら、また方針は変わってしまいます。だから人間の理性を超えた権威があるとの前提で行動することでしか、国家の秩序は保てない。宗教と同じレベルの権威がないと人間社会には秩序が保てない、というのが彼らの発想です。

宗教改革の影響

ヨーロッパで哲学と宗教の関係が変わりだしたのは、宗教改革がきっかけでしょう。カトリックの信仰が絶対だった時代は、シュミットたちが想定しているように信仰の権威で秩序が保たれていたのかもしれません。プロテスタントはキリスト者個人個人が信仰の主体であることを出発点にします。信仰の自由を前提にすると、本当の意味での教義の権威がなくなってしまう。カトリックだと、教義上の争いが生じたとき、教会の位階のより上位の権威者に裁定を仰ぎ、最終的には法王まで行って、決着が付きます——シュミットは、現代の政治にもそれが必要だと見ているわけです。しかしプロテスタントの場合は、聖職者が絶対的権威で問題を解決してくれる、という前提はありません。

歴史的には複雑な過程がありましたが、エッセンスだけ言うと、プロテスタントの分裂によって権威が崩れたことで、信仰だけでなく、思考が自由になっていきます。一六世紀のアウグスブルクの和議では、カトリックかルター派かプロテスタントを、その地の君主が選択できるようになりました。それが三十年戦争の後のウエストファリア条約では、カトリック、ルター派、カルヴァン派の三択になります。これによって君主の権力が強まりますが、その後のヨーロッパの歴史を見れば分かるように、君主の権力も次第に弱まり、議会制に移行していきます。君主が形式的に宗教をコントロールできるようになったとしても、彼自身は別に宗教的に特別な存在ではなく、宗教的な権威はありません。ただの人間である君主の支配下にある教会も、ありがたさを失っていきます。そういう権威に関するマイナスのスパイラルが働くようになったのではないかと思います。民主化が進んだ要因の一つに、君主が宗教を頼りにできなくなって、権力が神聖さを失ったことがあるのではないでしょうか。

政教分離が進んで信仰の自由が既成事実化していくと、人間の精神活動や言論活動が次第に自由になっていきます。宗教の権威がないと、もはや精神の活動を支配できなくなったということでしょう。やがて近代自由主義の原則である公／私の区別が確立されてくると、宗教は家族に関する事柄と並んでプライベートの領域に属することだと考えられるようになる。近代化された社会では、身内のことは誰に干渉されることもなく、自分たちで勝手に決めていいというのが前提ですが、宗教もそれと同じ扱いになっていったわけです。大転換ですね。カトリック全盛時代には最も公的な事柄が信仰だったのに、現代では、信仰こそが最もプライベートな事柄になって、他人に強制しない分には何を信じようと、どんな儀礼を行なおうと勝手になっています。現代の自由主義的な政治哲学では、公と私の区分、みんなで決めて統制すべき部分と個人の自由に完全に任せるべき部分の区別が自由な社会の条件だ、とされています。そういう議論が成り立つのも、宗教改革で宗教の自由が認められたことがきっかけだと考えられます。

そうやって世俗化が進んでいきます。社会が神抜きで規範を形成し、政治や法が運営されるようになり、人びとが目指す価値が、神と関係なくなっていきます。ウェーバー★の議論だと、自らの救いを確信するために、神から与えられた「職業＝召命 Beruf」に励むというプロテスタントのメンタリティが、資本主義中心の「世俗化」を強力に推進したということになるわけですが。

★　マックス・ウェーバー
一八六四〜一九二〇。ドイツの社会学者、政治学者。主な著作に『プロテスタンティズムの倫理と資本主義の精神』など。

宗教改革によって確立された「キリスト者の自由」と連動して、人間には本当に自由意志があるのか、という哲学上の問題が再定義されることになります。キリスト教の自由意志論は、どうして堕落は起こったのか、というアウグスティヌス★の問いかけから始まります。人間はもともと神が作ったものなのだから、堕落しないように作ればよかったのではないか、堕落させてしまうということは、神に欠陥があったのではないか、という疑問が生じます。そこでアウグスティヌスは、神は人間を自由意志を持つ存在として作ったけれど、それは人間が自由意志によって神の言葉に従い、正しく生きるようになるためであって、悪を行なう自由と善を行なう自由が半々だったわけではない、人間は自由意志を誤って使ったために堕落してしまった、と説明します。

より重要なのは、堕落した後の人間が、自由意志によって、イエスによる救いを受け入れることができるのか、それとも、堕落した人間の意志は無力なので、神の恩寵によるしかないのか、という点ですが、彼自身がどういう見方をしてい

★　アウレリウス・アウグスティヌス
本書五四頁の脚注を参照。

たのかについては、専門家の間でも意見が分かれるようです。ただ、これは中世のカトリックの信仰の全盛期には重要な問題ではなかった。大事なことを教会が決めるなら、実践的には自由意志の有無は重要な問題ではなかったわけです。しかし、教会の権威が弱まったことで、私たちに自由意志はあるのか、という問題が再浮上してきました。カントの実践理性論の核心にあるのは、人間には普遍的道徳法則を見出す理性と、それに自ら従う自由意志があるのか、という問いです。

人間の意志が物理的な因果法則によってすべて規定されているとすれば、つまり最初から物質が意識を規定しているとすれば、自由意志の余地はないわけです。そうなると、犯罪など不正な行為を成したことに対して責任を問うことは本当は無意味だということになります。そうする以外になかったのだから。これは、人間は堕落せざるを得なかったのか、身体に宿る肉欲ゆえに罪を犯すことは必然なのか、というキリスト教神学の問いを、世俗化したものと見ることができます。

「寛容」をめぐる議論

近代的な「公／私」区分の原点としての信仰の自由と不可分の関係にある、

「寛容 tolerance」をめぐる議論のお話しをしておきましょう。ロック★には『寛容書簡』という著作があります。背景には、当時のイギリスにおける国教会とカトリック、非国教会系のプロテスタントの対立があります。一七世紀半ばには、清教徒たちを中心とした革命によって内乱が続きました。王政復古後も、国家の重要な役職を国教徒が占めるのかカトリックが占めるのかをめぐって争いが続きました。現代人の感覚だったら、教義の違う人は放っておけばいいじゃないかと思うかもしれませんが、それが当たり前ではなかった時代です。信仰を中心に生きる人にとって、神の教えを歪める人間がいることは許されなかった。その許せない相手、言うなれば殺人以上に罪深いと思える相手に対する寛容を、ロックは問うたわけです。彼は、他人を処罰するのは政治的権力がやることであるが、そのことと、同じ信仰を持つ人たちが魂の救済のために助け合う共同体である教会とは異なる、という今でいう政教分離の見地から、教会が他人の信仰を罰したり政府にそういう圧力をかけたりすることは許されないし、その宗教の教えに反するはずである、と説いています。彼はユダヤ教も寛容の対象に加えました。その点で、現代の多文化社会にも応用できる可能性を秘めていたわけです。

ロックは――どの宗派かはっきりしませんが――自らもキリスト教の信仰を持っている立場で寛容を論じましたが、ロックから八十年ほど後に、同じく寛容

★ ジョン・ロック
一六三二～一七〇四。イギリスの哲学者。アメリカ独立宣言やフランス人権宣言に影響を与えた。主著に『人間悟性論』『統治二論』など。

に関する著作を著した啓蒙主義の哲学者ヴォルテール★は、理神論者で、特定の宗教を信奉しているわけではありませんでした。彼は、プロテスタントのカラスという人物がカトリックに改宗した自分の息子を殺したという疑いをかけられ、あまり調べもせずに死刑にされた事件に関連して、当時のカトリックの不寛容が宗教の本来の在り方に反しているし、キリスト教の伝統にも反していることを、歴史を遡って論じました。

それからさらに十数年後、ロックの『寛容論』からは九十数年後、ドイツの劇作家レッシング★は『賢者ナタン』という戯曲を書きました。イスラム教徒の国でキリスト教徒の娘を育てるユダヤ人の商人ナタンと、その娘に恋するテンプル騎士団の騎士サルタンの間のやりとりを通して、ユダヤ教、イスラム教、キリスト教の教えが根幹においていずれも隣人愛を説くものであり、本質的に同じであることを登場人物たちが悟る、という筋になっています。それを象徴するように、ナタン以外の主要登場人物が実は血縁関係にあったことが最後に明らかになります。現在から見ると、宗教間の同等性が説かれているのに身分制が前提になっているのが妙な感じがしますが。一八世紀になると、ユダヤ人が市民社会の中で一定の地位を占めるようになったことや、ヨーロッパ人の海外進出によって非キリスト教世界の接点も増えてきたこともあって、より広範な寛容が意識されるよう

★ ヴォルテール
一六九四〜一七七八。フランスの哲学者、文学者、歴史家。百科全書派の学者の一人。

★ ゴットホルト・エフライム・レッシング
本書三八頁の脚注を参照。

になった、ということでしょう。

ロック、ヴォルテール、レッシング等の寛容論は、現代でも多文化主義の可能性を論ずるときによく引用されます。現代では寛容は宗教だけでなく、民族やジェンダーに関する問題にも拡張しているわけですが。コミュニタリアンの政治哲学者ウォルツァー★は『寛容について』という著作で、社会の中に文化的ジェンダー的な多数派と少数派が存在する限り、どうしても前者が優位になって、前者から後者に対する「寛容」が問題になること、その多数派と少数派の関係は国家の成り立ちに応じていろいろあること、私たちは近代になるほど寛容の余地が拡がると思いがちだけど、国民国家にすべての人を同じ市民として統合しようとすると、かえって同化を拒むマイノリティが際立って、近代化を受け入れないものに対する「寛容」のような構図が生まれること、ポストモダン的なアイデンティティの多様化が進むと一見して従来的な差別が減少し、寛容の必要も少なくなりそうだけど、逆に、国家を動かす多数派と、いろんなアイデンティティを持った個人の間の取り決めが難しくなる可能性など、問題がそんなに単純ではないことを、歴史的な経緯を踏まえて考察しています。一七世紀半ばから一九世紀半ばにかけての国民国家の形成期にはそうした問題がどんどん浮上していたのです。

★　マイケル・ウォルツァー
一九三五年生。アメリカの政治哲学者。プリンストン高等研究所教授。主な著作に『正しい戦争と不正な戦争』など。

さきほどロックやレッシングがユダヤ教も含めた「寛容」を提唱したと言いましたが、ユダヤ人あるいはユダヤ教問題は、西欧の思想において日本人が通常思っているより大きな問題です。カントは、『単なる理性の限界内における宗教』で、「ユダヤ教 Judentum」と呼ばれているものは、来世に対する信仰を含んでおらず、宗教というよりは単なる律法の体系であるとして、宗教性を否定します。ユダヤ教徒は確かに、目に見えぬ唯一神を信仰していたけれど、その神はもっぱら律法に従うことだけを要求し、人間が道徳的に改善されることを教えていないとして、神観を否定します。加えて、自分たちを選民だとしている独善性を指摘します。それに対して、真の道徳的信仰をもたらし、人びとに自らの理性による真の信仰の探求を促すキリスト教を高く評価しています。カントの時代のドイツにはすでに多くのユダヤ系知識人が活動しており、彼の文通相手や論争相手には、ユダヤ系の人やレッシングのように啓蒙の立場から寛容を説く人がいたことからすると偏っている感じがしますね。

ヘーゲル左派で初期のマルクスに影響を与えたブルーノ・バウアー★はキリスト

★ ブルーノ・バウアー

教批判で有名ですが、それ以上にユダヤ教やユダヤ人を侮蔑したことが知られています。ユダヤ人が差別されるのは、彼らが自分たちの偏狭な宗教に固執しているからだ。キリスト教も偏狭なところはあるが、ユダヤ教に比べれば、信仰の在り方についてかなり個人の自由を許容するようにはなっている。ユダヤ人がユダヤ教にではなく国家に忠誠を誓えば問題は解決する。確かに現在の国家はキリスト教徒にとって有利な仕組みになっているが、必ずしもキリスト教でなければいけないわけではない、現に国家はかなり世俗化している。なぜユダヤ人は自分たちの教えや儀礼に固執して自分を不自由にしているんだ。すべての人間は宗教から解放されるべきだ——というバウアーの立場からすれば、ユダヤ人だけを信仰を持った存在として国家が特別扱いして保護するのはおかしいわけです。

それに対してマルクス★は、国家の世俗化が進んだからといって、人びとが宗教への信仰から解放されるものではないとして、国家を救世主であるかのように位置付けるバウアーの認識を批判したうえで、私有財産を保護することを目的とする国家が人びとのエゴイズムを助長し、対立を深めていることを問題にします。ユダヤ人の宗教が問題なのではなく、金融業などに従事し、金に固執するユダヤ人の経済生活のあり方が、他の市民社会の住人から反発を受けるのだという見方をしています。ユダヤ人が金融を独占している状態は、現在の資本主義的経済の

一八〇九〜八二。ドイツの神学者、歴史家、ヘーゲル左派の哲学者。主な著作に『ユダヤ人問題』『キリスト教国家と現代』など

★ カール・マルクス
本書三三頁の脚注を参照。

発展状態とは合っていないので、ユダヤ人と他の市民との対立が強まっているというわけです。ユダヤ教はそんなに批判していないけど、ユダヤ人の生き方はディスっているわけですね。

　この流れで面白いのがデューリング★です。エンゲルス★が『アンチ・デューリング論』を書いたことは有名ですが、それはデューリングが社会主義者で唯物論者でありながら、マルクス＋エンゲルス陣営とは違うヴァージョンの科学的唯物論を広め、人気を博したせいでエンゲルスがライバル視したからです（笑）。そのデューリングに『人種・習俗・文化問題としてのユダヤ人問題』という著作があります。その中で彼は、ユダヤ教という宗教が問題ではなく、さまざまな腐敗をもたらすユダヤ人の民族性が問題だと明言しています。実務能力がないくせに金融を中心に経済を支配する。自分たちの利益を貪欲に追求し、政治やジャーナリズムを利用して市民を騙し搾取するユダヤ人の影響で、ヨーロッパ社会や文化全般が劣化していると言って、マルクスや国家社会主義の指導者ラサールをその代表格と見なしました。ユダヤ人の影響から脱するには社会主義しかないと言って、社会主義を推奨したんですね。今から見ると意外ですが、この著作は際物《きわもの》扱いされず、左派的な読者層に受けて広く読まれたようで、左翼の間でも人種主義的な反ユダヤ主義が広まっていたことの象徴だと言われています。

★　オイゲン・デューリング
一八三三〜一九二一。ドイツの哲学者、経済学者。主な著作に『自然弁証法』など。

★　フリードリヒ・エンゲルス
一八二〇〜九五。ドイツの革命家、実業家、ジャーナリスト。マルクスとの協働で知られる。主な著作に『イギリスに於ける労働者階級の状態』『自然の弁証法』など。

バウアーやデューリングの偏見は今から見ると論外ですが、国家が世俗化し、宗教的にニュートラルになるに従って、強い信仰や独特の儀式を持つグループが浮いてくるという問題が生じます。フランスの学校のイスラム系の女子のスカーフ着用の問題★が有名ですね。公共の場に宗教的なものを持ち込んでいけないというのを、多数派や少数派に限らず適用すると、ある宗教にとっては信者であるために必須であること、信者にとってはそれを停止されたら死刑宣告に近いと感じられるようなことを禁止される可能性が生じてきます。強い信仰を持つ人が別の強い信仰を持つ人に対して寛容であるべきというロックの時代の問題が、宗教心があまりなく、公の場に宗教を持ち込んでほしくない人が強い信仰を持つ人に対して寛容になるべきか、という現代的な問題へとシフトしているわけです。むろん現代においては、そもそも何を「宗教」と見なすかという問題があります。ネット上のカリスマを信奉するようなものは、宗教なのか？

市民社会における宗教

ここでハーバマスに話を戻しましょう。ハーバマスは、フランクフルト学派★と

★ スカーフ着用の問題
二〇〇四年、フランスの公立学校でスカーフ禁止の法律が施行され、一一年には公共の場で顔を覆うものの着用を禁止する法律が施行されたため、これに反対するムスリムを中心に抗議運動が起こった。

★ フランクフルト学派
一九二四年にフランクフルト大学に創設された社会研究所に集ったネオ／マルクス主義者のグループ。ホルクハイマーやアドルノ、マルクーゼ、ベンヤミンらがいる。

呼ばれる、戦後ドイツで影響力を持った左派を代表する論客の一人です。そのフランクフルト学派の元祖で、ハーバマスの先生とされるホルクハイマー★と、この講義の第五回、第七回でも名前を出したアドルノ★は、世界が啓蒙されるに従って、次第に自然や人間を暴力によって支配しようとする欲求が強まり、時としてナチズムのような形でその欲求が暴走すると主張する、『啓蒙の弁証法』という共著を出しています。この著作は、啓蒙された人間精神が混沌とした原初の自然を象徴する怪物たちと対峙し、克服することで自己を主体として確立していく歩みをホメロス★の『オデュッセイア』の中に読み取るとか、ユダヤ教の偶像禁止――第七回の講義をご覧ください――の意味とか、宗教との関連で重要な論点がいろいろ出てきます。

ホルクハイマーはマルクス主義者ですが、異なる世界を求める人びとの宗教的情熱が、市民社会的な正義、自由、平等を実現してきたと主張します。「宗教の自由化についてのコメント「Bemerkungen über Liberalisierung der Religion」(一九七〇)という短い論文で、近代初期には万能の神を信奉する宗教であるキリスト教と、科学によって世界を理解しようとする近代的思考の対立が際立っていたけれども、両者は次第に和解に向かっている、ということを示唆しています。近代合理主義の思想家には、デカルトやカントのように、神の存在や信仰を持つ

★ マックス・ホルクハイマー
一八九五〜一九七三。ドイツの哲学者、社会学者。主な著作に『理性の腐蝕』、アドルノとの共著に『啓蒙の弁証法』など。

★ テオドール・アドルノ
一九〇三―六九。ドイツの哲学者、社会学者、音楽評論家。主な著書に『プリズメン』『否定弁証法』など。

★ ホメロス
紀元前八世紀頃に実在したという吟遊詩人。最初期の文学作品とされる叙事詩『イリアス』『オデュッセイア』の作者。

ことの合理的根拠を求める人たちがいました。宗教自体も、形而上学的世界観を語ったり、古くからの儀礼を護ったりするよりも、時代のニーズに応え、この地上における悲惨な現実をどうにかすることに力を入れるようになりつつあります。それが彼の言う「自由化」です。宗教は伝統的な形から離脱し、人びとは自由な信仰の形態を持つようになるだろうけれど、この世界の悲惨な現実を乗り越えて、新しい現実の可能性を切り開こうとする人びとは、そのための拠り所として神を求め、宗教的な慣習を維持するだろうと示唆しています。

これと似たようなことをアメリカの神学者ニーバー★が言っています。彼の著作『光の子と闇の子——デモクラシーの批判と擁護』は、メインタイトルだけ聞くとハルマゲドンの戦いみたいなものを想像してしまいますが（笑）、まったくそういうものではありません。「光の子」というのは共同体的な善を求める人、「闇の子」というのは自分だけの利益を求める人を意味します。サブタイトルから分かるように、民主主義を擁護すると共に、伝統的な民主主義擁護論の限界を指摘しています。伝統的な民主主義は、人類の進歩のためにみんなが連帯すべきだというような理想を高らかに掲げるけれど、人間にはエゴイスティックな利益を求めるところがあるので、理想を追っている「光の子」であるつもりでも、いつのまにか「闇の子」の勢力拡張を許し、自分も「闇の子」になってしまう。「闇

★ ラインホルド・ニーバー
一八九二～一九七一。アメリカの神学者、自由主義者、コメンテーター。主な著作に『光の子と闇の子』『アメリカ史のアイロニー』など。

の子」に対抗するには、完全に世俗化した、人間本性を理想化する単純な理想主義ではなく、神の目から見た人間の堕落した本性ゆえに「闇の子」の力が働いていることを常に意識しながら、同時に歴史を光へと導いていく神の力を信じようとするキリスト教的な視点が必要ではないか、というのがニーバーの主張です。ニーバーはだいたいホルクハイマーと同年代で、当初は社会主義に傾倒していた自由主義神学者でしたが、戦後、反共主義に転向すると共に、新しい神学的正統性を主張するようになりました。転向後のニーバーをよく思わない左派の人は多いのですが、歴史哲学＋社会科学的なアプローチによって、キリスト教の現実批判的な理想主義の特徴を描き出しているところが、唯物論者のホルクハイマーと共通していて面白いと思います。

ハーバマスにとっての「神」

ハーバマスは一九二九年生まれなので、今年〔二〇一九年現在〕九〇歳です。ドイツでは大学教授のポストを得るためには、博士論文の次に教授資格論文を出す必要があるのですが、博士論文の「絶対者と歴史——シェリングの思考における葛藤について」でも高く評価されました。シェリング★は、神話や啓示、悪といった宗教的なテーマと取り組み、ドイツ観念論の中でも神秘主義的な傾向の人だと思われています。一方のハーバマスは、先生であるホルクハイマーやアドルノが、ドイツ観念論や文芸批評に由来する文学的に高尚な、悪く言うと曖昧な文体を駆使したのに対し、プラグマティズムや英米の最新の社会学、社会史、分析哲学の最新の研究成果を取り入れ、クリアな文体で議論をする人のイメージがあるのですが、初期にはシェリングの研究をしていました。これは意外な感じがしますね。ハーバマスはその博士論文で、シェリングの悪の概念をヘーゲルの歴史哲学やマルクス主義のような、歴史のゴールを設定する思想や社会運動と結び付けて理解することを試みています。

シェリングが各種の神話、宗教、哲学の宇宙の起源論などから再現したイメージでは、最初はすべてが神である状態があったけれども、やがてその神の中核部分がぎゅっと凝縮する。すると、その中核以外の部分が相対的に神本体から独立した。それが「悪」の起源です。世界の中で「悪」が拡がると、その部分は腐敗していく。力と運動の源泉である狭義の神から離れているので、だんだん力を失って腐っていくわけです。そこで「神」は、自分から離れていった部分を回収しようとする。回収したと思うとまた離れる部分が出てくる。ただ、毎回まっ

★ フリードリヒ・シェリング
本書三四頁の脚注を参照。

たく同じように離れていくわけではないし、「悪」にもいろんな度合があります。そうした「悪」の離脱と「神」による回収によって宇宙は変化し、歴史は進展していきます。人間が唯物論的な思考を持つのは、狭義の神から離れて、物質の外的運動しか目に見えないからだということになります。

人間の労働という行為は、物質によって働きかけることによって、そこに神の本来の働きを確認する行為です。労働を通じて、物質の世界から神に戻っていく。物質の中に隠れている神を見出すことによって、神の世界に繋がっていく。そして最終的に神に戻っていく。そういう思想が、後のヘーゲルやマルクスにも共有されているのではないか。マルクス主義も、見方によっては物質化した世界から神に戻っていこうとする思想ではないか。共産主義が自然と人間が一体化した状態だとすれば、それはまさに原初の神のあり方を象徴していないか。ハーバマスはそういう風に、シェリングの「悪」論をヘーゲルやマルクスに結び付けます。

儀礼からコミュニケーションへ

ハーバマスの中期の代表作に『コミュニケーション的行為の理論』があります。

これは、人間の行為の中核には相手とコミュニケートして合意に至ろうとする欲望と能力があることを、従来の思想史・哲学史を振り返りつつ、再解釈する形で明らかにしていこうとする試みです。心理学とか認知科学の最新の成果から話を始めるのではなく、思想史的な振り返りから議論を始めるところはドイツ的です。そのコミュニケーション能力が普遍的にあらゆる人間に備わっているとすると、宗教やイデオロギーが異なっていて、不倶戴天の敵のようになっている人たちの間でも、コミュニケーションが成立する可能性があるということになります。アドルノやホルクハイマーが、人間の理性はすべてを貨幣のように同一の尺度で画一的に測ろうとする同一化の論理を内包しているし、さきほど言った、啓蒙と共に生まれてきた、自然や他者を支配しようとする欲求と一体化しているので、理性によって人びとが真に分かり合い、金や権力に対する飽くなき欲望を抑えることなどできない、理性はむしろ私たちを不幸にする、という見方をしていたのに対して、ハーバマスは、理性による相互理解の可能性を信じている感じです。

この著作の中で宗教と直接関係ある内容として、ウェーバーやデュルケム★の言う「世界の合理化」の再解釈があります。ハーバマスが、主にデュルケムに依拠して論じているところでは、原初の人間世界は神聖なものを中心として人間が結びついている状態でした。人間のコミュニケーションも、常に神聖なものを間に

ユルゲン・ハーバマス

★ エミール・デュルケム
一八五八〜一九一七。フランスの社会学者。主な著作に『自殺論』『宗教生活の原初形態』など。

挟み、神聖なものに基づいて他者と繋がっていく形のものでした。宗教儀礼に身体的に参加して、神的なものと一体化した人間同士が繋がっていたわけです。キリスト教の「聖餐」を communion と言いますね。「交わり」ということです。しかし世俗化＝脱呪術化が進むにつれ、人びとの生活における儀礼的なものの比重が減少し、宗教の教義の内容が言語化されていきます。

儀礼の場合は、やるかやらないかだけです。習慣になってるわけですから、やらないと仲間に入れてもらえないので議論の余地がない。それが言語化されることによって、解釈の余地が生まれてきます。教義に従えと言っても、どう従えばいいのかとなりますよね。神聖なものがひとたび文章になることによって、コミュニケーションの余地のあるものに変換されていく。このようにしてハーバマスは、近代化の一番大事な要素として、言語によるコミュニケーションがあると主張するわけです。

ハーバマスは、人間の言語行為には二種類あると主張します。戦略的行為とコミュニケーション的行為です。戦略的行為とは、相手を利用して自分がやりたいことをやる行為です。こういう言い方をすると、他人に働きかけることはほぼすべてそうなってしまいそうですね。自分がやりたいことをやるために相手を説得してるんですから。ただ、本当にすべてがそうなのか。たとえば数学を好きな人が数学の議論をするとき、別に相手を説得したいためにしてるわけじゃないですよね。単に相手にうんと言わせたいだけなら、ちゃんとした論理的な数学の議論をする必要はないでしょう。バカな相手なら、適当なことを言ってごまかした方が楽です。本当に数学が好きな人なら、相手に自分の方が賢いことを納得させるために議論することはありません。自分の証明の方法の正しさを相手に認めさせようとするとき、プライドの話は別とすると、論理的な手続きについて双方の合意がないと意味がないわけです。これは数学や論理学のような抽象的な話だとわかりやすいと思います。

最近よくニュースで学者の不正の話を耳にしますが、学者は自分の身分にかかわらないことだとあまり不正はやりません。それはたいして意味がないと思ってるからです（笑）。自分が賢いことを認めさせるのが問題ではなくて、自分の言い分が正しいと証明されることが大事なんですね。自分の方が賢いことになった方が気持ちいいけど、何が正しいのか知って、知識を共有したい。知識自慢がしたい人は学者にはなれません（笑）。むろん、世の中の議論のほとんどは戦略的行為に終始していますし、学者も堕落するとそっちに流されていきますが、本当の合意を目指す場合もあるわけです。何が正しい政策かをめぐる民主主義的な議論は、目立ちたい、出世したい、とか意地でやっている面も当然ありますが、本当に正しい政策が何なのかを探求していることも、まったくないわけではありません。そういう本当のコミュニケーションが行なわれることもあるので、科学が発達し、民主主義が機能するわけです。相手をごまかして自分の方が偉いと思わせたいだけだったら、科学は成り立たないし、議会制はすぐ崩壊するはずです。

ハーバマスは、その後の『近代の哲学的ディスクルス』という著作で、自分の先生であるホルクハイマーやアドルノ、ニーチェ、ポストモダン系の思想など、「理性」に対して懐疑的な思想の代表的なものを取り上げて批判するのですが、その際に、それらの思想が近代を超えているのではなく、逆に前近代の非合理的思考、主客未分化の神話的世界像に後退していると主張します。デリダ★に対しては、「エクリチュール」というデリダの基本概念を批判しています。エクリチュールというのは「書かれた言葉」という意味ですが、デリダの場合は人間の思考を規定する言語の基本的なパターン、基本構造というような意味だと思ってください。近代の哲学や人間観は、音声中心主義的な発想に基づいています。つまり、人間はそのときどきの状況に対応する自分の自然な気持ちを自由な言葉によって表現することが可能である、という発想です。私たちは自由に思考し、語ることのできる主体だと想定されています。だから、社会運動や芸術的創作に従事している人、反権威主義的な人は、どこかで教えてもらったようなありきたり

★ ジャック・デリダ
本書三九頁の脚注を参照。

の言葉ではなく、生きた言葉を語れと言い、それができる人を賛美します——詳しいことは、作品社から出ている私のデリダの入門書などをご覧いただければと思います。

しかし、デリダに言わせれば、自分で自発的に喋ってるつもりでも、じつはあらかじめインプットされている定型文を繰り返しているだけで、「生きた言葉」というのは、あるタイプの人にはいかにも〝生き生きした言葉〟に聞こえる、特定のパターンにすぎません（笑）。

すばらしい生き方をするアスリートの話を聞いて、「すごい！　感動した！　こんな生きた言葉は聞いたことがない！」とか言いたがる人がいますね。しかし、本当にまったく聞いたことがなければ理解できないし、感動もできないでしょう。〝感動する〟ときは、たいてい何らかのパターンがあります。私たちは、「生きた言葉」を語る主体になっているつもりだけど、実はプログラムに従って言葉を組み立て、発出している、ロボットのようなものにすぎない。しかし、そんな発想をしたら、ハーバマスのコミュニケーション的行為の理論は無意味になります。ＰＣ同士がプログラムに従って勝手に連絡を取り合うのは、自由なコミュニケーションではないでしょう。ハーバマスは、デリダの言う「原エクリチュール archi-écriture」——各種のエクリチュールの原型だと思ってください——は、ユダヤ教のトーラ★の発想じゃないか、ユダヤ人はトーラに基づいて考える訓練をし、内面化しようとする、だから言ってることがトーラのセリフみたいになってしまうが、それを、神の法が各人の内に働いている、と勘違いするのです。

むろんこれは程度の問題で、ユダヤ教だけでなく、キリスト教についても言えることです。ハーバマスに言わせれば、人間の思考がすべてエクリチュールに支配されているというのは、神が吹き込んだ言葉によって人間は生かされており、そのエッセンスはトーラや聖書に表現されている、というユダヤ＝キリスト教的神秘主義にほかなりません。みんながエクリチュールなるものに囚われていると思い込むのは、聖なるものが言語化されただけの段階に止まっていて、その言語化された聖典からさらに自由になるところまで到達しえていないから、ということになるでしょう。聖典から自由になって初めて真にコミュニケーションできるのに、聖典に戻ってどうするんだ、というわけです。

このように、中期のハーバマスは宗教に冷たいイメージがあります。それがちょっとずつ変わってくるのが九〇年代からです。『テキストとコンテキスト』という論集に、「ホルクハイマーの命題『神なくして無制約の意味を救済することは虚しいことである』に寄せて」が収録されています。この場合の「意味」は「生きるための意味」と考えてもらえばよいのですが、晩年のホルクハイマーは、

★ トーラ
ユダヤ教で律法書と呼ばれる「モーセ五書」のこと。あるいはユダヤ教の律法、教え全体を指すこともある。

カントのように、「神がない」とすると自分のやっていることの究極の意味づけができないし、道徳的行為が無意味になるかもしれないことを示唆していた、ということです。唯物論者にとっては苦しい状況です。ハーバマスは、晩年のホルクハイマーの視野が狭くなって、入らなくてもいい袋小路に入っていたことを批判します。ハーバマスに言わせれば、そういう「意義」を見つけることの重要さは認める、しかし、あくまでコミュニケーション的な理性によって、議論を通じてその意義を見つけていくべきであり、神学に救いを求めてはならないと結論付けています。少しは宗教に関心を寄せるようになった感じですね。

公共圏における宗教をめぐって

一九七〇年代から八〇年代にかけて、「解放神学」と呼ばれる左派的な神学がラテンアメリカを中心に台頭し、社会的現実に向き合おうとしない神学を内部批判し、マルクス主義的な解放の言説と神学を結び付けようとし始めました。イエスは貧しい人たちの解放者だった、という感じです。そこまで行くと神学なのか唯物論なのか微妙ですが、そこまで行かないまでも、社会的に重大な問題を扱い、公共的な議論へと開かれたものにしていこうとする「公共神学 public theology」と呼ばれるものが台頭してきます。

それに呼応するように、ハーバマスは二一世紀に入った頃から宗教についてかなり好意的な議論をするようになります。二〇〇九年にニューヨークで行なわれた、ハーバマスのほかにカナダのケベック州出身でコミュニタリアンの論客として多文化主義を提唱しているチャールズ・テイラー★、フェミニズム理論家でポストモダン的に多様なジェンダー・アイデンティティの可能性を探究するジュディス・バトラー★、神学者で人種問題に取り組む活動家でもあるコーネル・ウェスト★の四人をメイン・スピーカーにした、現代宗教にとっての公共性をめぐる討論会の記録論集（『公共圏に挑戦する宗教』）があります。そこに付属資料として収められた編者によるインタビューでハーバマスは、社会の近代化と共にヨーロッパでは世俗化が進んだが、世界的に見れば、東アジア、中東、アフリカでは世界宗教が依然として地域の文化モデルを提供しており、影響力を保持している、アメリカでも——おそらくキリスト教原理主義を念頭において——宗教の影響が再び強まっている、と指摘しています。そして、そうした宗教も含めて異なる文化が「人権」をどう解釈するかをめぐって対立している、と指摘します。西欧的人権が唯一の人権で、非西欧のそれは劣化コピーだというような見方はもはや通用し

★ チャールズ・テイラー
一九三一年生。カナダの哲学者。主な著作に『今日の宗教の諸相』など。

★ ジュディス・バトラー
一九五六年生。アメリカの哲学者、フェミニスト。主な著作に『ジェンダー・トラブル』など。

★ コーネル・ウェスト
一九五三年生。アメリカの哲学者、政治思想家。主な著作に『人種の問題』『民主主義の問題』など。

なくなっているというのですね。彼はここで、「ポスト世俗化 postsecularization」という自らの概念を説明しています。「世俗化」が進んだ社会では宗教からの離脱を進めてきた啓蒙的な理性が今や、自己反省的な性格を強めている宗教、つまり自然科学・社会科学の認識を取り込み、自分を相対化するようになった宗教と改めて対峙せざるを得なくなっており、理性の側も自らを相対化せざるを得なくなっている、ということです。宗教の側が一方的に努力するのではなく、世俗的理性や哲学の側も啓蒙の名の下に自己を特権化することは許されず、宗教をはじめとする、自分とは異なる世界観と対話する努力をしなければならなくなっている、宗教を含む文化的多元性を認めざるを得なくなっている、と。

二〇〇五年に出版された『ポスト世俗化時代の哲学と宗教』は、自ら退位したので有名になったドイツ出身のベネディクト一六世★（ラツィンガー）と、ハーバマスとの対談です。法王が枢機卿だった時期に刊行されました。現代では宗教的メンタリティと世俗的メンタリティがお互いに相互理解を深めつつあり、公共意識の近代化に伴って宗教的メンタリティは変化しているけれど、世俗的メンタリティも公共性という面で非世俗的な、宗教的な考え方を受け入れざるを得なくなっている、とハーバマスは指摘しています。ラツィンガーの方も、本来カトリックには自然法思想があったけれども、現代では人権概念と融合するような理

★　ベネディクト一六世
一九二七年生。第二六五代ローマ教皇、名誉教皇。本名ヨーゼフ・ラツィンガー。生前退位して話題になった。

性法に変化しないといけないし、変化しつつある。そして、自分たちキリスト教も理性法としての法概念の追求をやらないといけないと述べています。

この本はお互いの意見を両論併記で並べてるいるだけで、本当の意味での対談ではないのですが、もう少しハーバマスが突っ込んだ議論をしているのは、同じ二〇〇五年に出た『自然主義と宗教の間』という論文集です。この本には、さきほどの対談本にも収められている「民主的法治国家における政治以前の基礎」という論文が再録されています。ベッケンフェルデ★という憲法学者について論評しています。ベッケンフェルデはカトリックの影響が強く、憲法が国民を統合するには一致を生み出す力、絆が必要なんだと主張しています。そうやって宗教的な力が必要なんだということを仄《ほの》めかしているわけです。ハーバマスは、ベッケンフェルデの言うことも分かるが、その場合の維持する力や一致を生み出す絆が特定の宗教に基づくのはよくないのではないか、それだと世俗化や多元には対応しきれない、自分は憲法愛国主義、つまりそれまでの民族や国民の伝統とは関係なく、純粋に憲法の理念へのコミットメントのみを基盤とする愛国主義による一致を目指している、と自分の立場を表明しています。宗教にまだ少し距離を置いていますね。

★ エルンスト＝ヴォルフガング・ベッケンフェルデ
一九三〇〜二〇一九。ドイツの憲法学者、国法学者。主な著作に『現代国家と憲法・自由・民主制』など。

宗教と公共的理性

『自然主義と宗教の間』にはこのほか、カントの宗教哲学の影響を論じた「信仰と知の境界」や、多文化社会における宗教的寛容の重要性とその限界を論じた「宗教的寛容」など、宗教や自由にまつわる、今日ここでお話ししたようなテーマに関わる興味深い論文が収められているのですが、一番重要なのは「公共圏における宗教」という論文でしょう。ここではジョン・ロールズ★が『政治的リベラリズム』で展開した議論を援用・補強する形で、「公共的理性 public reason」の意義について論じています。ハーバマスは用語としては「公共的理性」とは言わないで、カントに倣った「公共的な理性使用 der öffentliche Vernunftgebrauch」という表現を使っていますが、実質的には同じことです。private な、つまり身内の間だけでしか通じるのではない、公共的な討論の仕方ということです。英語で public reason と言うと、そういう討論で挙げられる「論拠」「理由」という意味も含まれますが、ドイツ語の Vernunft だとそういう意味はありません。ハーバマスは、「理由」を持ち出すことよりも、それを用いる態度、普段からの公共意識や宗教人とそうでない人が接触する際の基本姿勢や心理をより重視しているのかも

★ ジョン・ボードリー・ロールズ
一九二一〜二〇〇二。アメリカ合衆国の哲学者。リベラリズムの復権に大きな影響を与えた。主な著作に『正義論』『政治的リベラリズム』など。

しれません。

「公共的理由」は、その社会に生きているどんな宗教や世界観を持っている人にも通じるし、それを呈示されたら、一応は応答せざるを得ない論拠だと思ってください。ロールズはアメリカのように、さまざまな宗派が民主主義の枠内で共存している国家では、宗派の内でしか通じない理屈と、議会のような場で他宗派の人と討論する場合の理屈を使い分けるようになり、後者について、どういう論理なら通用するのか、という一定の基本的合意が成立しているはず、と言います。その合意を「重なり合う合意 overlapping consensus」と言います。「重なり合う合意」のおかげで、「公共的理性」によって話し合うことが可能です。たとえば、中絶が神の意志に反するので罪だと思っている宗派でも、それを議会とか裁判所で主張する時は、自分の信条をそのまま語るのではなく、「生命の尊厳」とか「胎児の生存可能性」とか、「プライバシー権」の限界とか、公共的に通用する言葉に変換するでしょう。

二〇一二年のアメリカ大統領選でオバマ★とロムニー★が争ったとき、ロムニーはモルモン教徒でしたが、彼の政策がモルモン教と関係あるかどうかいちいち詮索するマスコミはほとんどいませんでした。実際、彼の政策は共和党の普通の政策で、宗教色を感じさせるものがなかったので、問題にならなかったのでしょう。

★ バラク・オバマ 一九六一年生。アメリカの政治家、弁護士。第四四代大統領。二〇〇九年にノーベル平和賞を受賞。

★ ウィラード・ミット・ロムニー 一九四七年生。アメリカの実業家、政治家。二〇一二年のアメリカ大統領選挙の際に共和党の大統領候補。

日本で言うと、公明党の政策のほとんどは、支持するかどうかはともかく、別に創価学会の信仰を前提にしなくても十分理解できるものになっていますね。創価学会の中では、彼らの仏教的世界観によって平和や福祉の意味付けがなされているとしても、公明党が国会に提出する法案は、他の宗派の人やまったく宗教を持っていない人にも分かるものになっています。マスコミも、公明党の政策自体がどういう宗教的世界観に対応しているのかは詮索しないですね――単に勉強してないだけかもしれませんが。

ロールズの議論は、従来のアメリカをモデルにしていますが、ハーバマスはそれを、イスラムとか、仏教とか、非ヨーロッパ起源の宗教も含めた世界的な公共圏に拡張できるのではないかと考えているのでしょう。世俗的な市民と宗教的な市民が、共通の公共的な言語で話し合うようになることが、ポスト世俗的な多文化社会における共存のカギになるのではないかというわけです。そうした共通言語が確立されたら、単純な「寛容」より一歩先に進んだことになるのではないか。

ただその一方、ロールズに関しても言われることですが、国家自体が中立化しているから、宗教を持っていない人はあまり違和感なく公共的に通用している法や政治の言葉を使えるけど、強い信仰を持ってる人の方が、その信念を分かってもらうのに多くの努力を必要とするのではないか、それは不公平ではないのかと批判されることがあります。ハーバマスは、世俗化された理性に従って考えている人の側も、自分たちが科学的に正しいと確信するに至った事実について、宗教的な世界観を持った人と対話する際に自明の理とすることはできず、宗教的な人に理解してもらう努力をすべきだと言っていますが、結構抽象的な話ですね。ドイツやフランスのような国で、かなり世俗化され価値観を持つ白人の市民と、移民としてやってきたイスラム圏の人が対話しようとしたとき、どっちが大変かは言うまでもないですね。

さきほどの『公共圏に挑戦する宗教』でハーバマスは、公共的理性論を展開したうえで、宗教的市民が公共圏で宗教的言葉遣いをするのをある程度認めるべきだが、裁判とか議会とかみんなを拘束するような決定をする場での議論に参加する際にはそれを他の人にも分かる言葉に言い換える努力をすべきであり、世俗的市民もそれを助ける義務がある、と言っています。それを受けて、サンデルが有名になる前は最も重要なコミュタリアンだったチャールズ・テイラーが、こう言っています。ハーバマスの話は基本的にはわかる、ただ一つ納得がいかないのは、宗教は話が通じにくいものだという特別な位置付けをして、宗教者には世俗化された社会で理解されるための努力をしろと言ってるように聞こえるが、それはどうなんだろう、というわけです。

「公共的理性」をどう性格付けて発展させていけばよいのか。宗教だけの話ではなく、まったく異質な、近代科学や自由民主主義と部分的に対立するような世界観の人間と民主主義的に議論するためにはどうしたら良いのかを哲学は考えなくてはならないのではないか。政治哲学的にはそういう課題が重視されるようになっています。

会場から

――宗教と哲学は、本来お互いを必要としていたものだと思います。宗教は、世界や宇宙の中で人間を意味づけたり位置づけたりするもので、そういう宗教の性格から哲学が要請されていたのではないでしょうか。逆に哲学が宗教を必要としていたのは、原因やオリジン、基礎、根拠といったものがないと話ができないからです。お互いに何を対象にしていたのかと考えると、宗教は人間集団を対象とし、哲学は人間一般を対象としている。そこが決定的に違うところだと私は思っています。ただ、そうすると、哲学は好き勝手に考えてしまう。宗教改革も、宗教の中で哲学を始めてしまったという面がありそうです。さきほど実存主義から人生相談的なイメージが生まれたのではないか、というお話がありましたが、実存主義までいくと個人が考えればいいんだ、人間の意味づけや位置づけに宗教に頼らなくていいんだとなって困る人も出てくるから、人生相談が必要になってくるのではありませんか。人生相談の役割を哲学に取られてしまうと、今度は宗教の方が寄る辺を失って、組織の維持に走り始める傾向が出てくると思うのですが、どうでしょうか。

実存主義と、人生相談の関係を中心に上手くまとめていただきました。宗教って基本は集団的な営みで、個人化しすぎると宗教の体をなさなくなる。哲学は、抽象的に「人間」の本質を問うわけですが、抽象的な理論で捉えた本質に収まらない、個人の「実存」、本人の決断次第にかかっている個別の生き方があるということも視野に入れていい。キルケゴール★の実存主義というのは、哲学なのか神学の一種なのか微妙ですが、キリスト教が抽象化された教義の体系だけで人びとを導くことができなくなった時代に登場したのでしょう。宗教に権威があれば、教義とか教会内の慣習・人間関係に基づいて人生相談に応じることができたのでしょうが、宗教の権威が落ちると、「聖書では……」とか「仏典では……」と言われても、全然解決する気がしない。そこで〝哲学〟に期待するのでしょうが、本来の哲学自体は宗教以上に抽象的でその役割を果たせない。しかし、〝哲学〟の融通無碍さを利用して商売をする人もいる（笑）。

もう少し補足すると、宗教は必ずしも言語化する必要はないんですね。キリス

★セーレン・オービエ・キルケゴール　一八一三〜五五。デンマークの実存主義、思想家。実存主義の先駆者。主な著作に『不安の概念』『死に至る病』など。

ト教は言語化している部分が大きいですが、さきほどハーバマスに即してお話ししたように、宗教って身体を使って儀礼に参加し、一体感を再確認することで、同時に個人の疎外感や共同体内の摩擦を解決していたので、個別の人生相談はさほど必要なかったのでしょう。宗教のもともとの意味は再結合《レリジオ》です。教義を言語化し、その分儀礼的なものの比重が下がったことと共同体の絆が緩んだことの間には相関関係があるのでしょう。言葉を使って互いの気持ちを表現し、問題点を浮き彫りにしながらコミュニケーションしないと、疎外感を克服できなくなった。ハーバマスはそれをコミュニケーション的理性の発展としてポジティヴに見ているけれど、言葉によって各自が自分の考えをタブーなく自由に表現していいと認めてしまうと、宗教は社会の結合の中心ではなくなり、相対的に「哲学」が浮上してくることになるのでしょう。そのせいで一部の人には「哲学」が「宗教」の代替物に見えるのかもしれないけど、おっしゃったように「哲学」には集団を統合する機能なんかありません。どちらかと言うと、集団の統率力が乱れて個人が勝手に考え始めたときに「哲学」が生まれてきたんだから、孤立している人がもう一度共同体に入っていて、自分の居場所を見つける手助けする役割を期待するのは、完全にお門違いでしょう。

ハーバマスは「公共神学」を好意的に見ていますが、「公共神学」という言い方はきわめて逆説的です。だって普通の「神学」は人びとが気にしている社会問題を解決する力がないことを認めたうえで、社会問題に関する討論を行ないましょうと言っているわけですから。ハーバマスはコミュニケーションによって社会の再結合が可能になり、疎外を感じる人たちの悩みの一部も解消されると考えているのでしょうが、そもそも言語化しすぎたことが宗教の再結合力が弱まった原因だとすると、話し合うことでそれが解決するのか。悩みを感じて宗教や〝哲学〟に救いを求める人は、話し合いたいのか？

キルケゴールやヤスパース★のように神を前提とする実存主義は、宗教が個人化していったぎりぎりの形だとしても、おっしゃったように、自分自身が自分で意味付けするしかなくなります。そうなると一人宗教になってしまいます。ニーチェの描くツァラトゥストラのように、一人でゼロから宗教を始める人も出てくるかもしれませんが、それは普通は単にイタイ人でしょうし（笑）、実際にそれができるとすれば「超人」であって、他人に人生相談したいなどという人にはほど遠い境地です。

一九七〇年代までの現代思想や哲学では、実存主義に個人化していくのがよしとされていましたが、最近はコミュニタリアニズムのように、共同体を重視する思想が台頭し、ハーバマスのように、権力批判に力を入れていた理論家が宗教の

★ カール・ヤスパース
一八八三〜一九六九。ドイツの哲学者、精神科医。実存主義の代表的論客。主な著作に『偉大な哲学者たち』『歴史の起源と目標』など。

意義を認めるなど、雰囲気が変わってきています。ポストモダン系の思想でも、デリダのエクリチュール論のように、人間がゼロからすべてを自分で決めることは不可能で、どうしてもその人が身に付け、普段語っている言語によって規定されている、ということが強調されます。そういう見方は、結果的にコミュニタリアニズムに接近していきます。後期のデリダは、宗教や神をめぐる問題に関心を寄せるようになります——さきほどの私の作品社の本とか、高橋哲哉さんの『デリダ　脱構築と正義』をご覧ください。

日本は神仏習合的な伝統のせいか、宗教間の対立はまだそれほど際立っていませんが、新興宗教の中で市民社会に溶け込むかどうか微妙なものが出てくるかもしれませんし、イスラム系の人も少しずつ増えてくるでしょうから、「宗教」の本質は何か、教義なのか儀礼なのか共同体なのかといった問題について本気で考えざるをえなくなるでしょう。

——個人的には熟議民主主義に期待を持っているのですが、ハーバマスの言うコミュニケーションするという意味がよくわかりません。聖なるものが言語化され、これに囚われているので聖典から離れたコミュニケーションが生まれたということですが、聖典から離れた人間にもバイアスがかかっているはずで、果たしてコミュニケーションが深まるものなのでしょうか。宗教が公共的理性で話し合うというのは、ヨーロッパが移民を受け入れるかどうか、あるいはイギリスがEUから抜けるかどうかと同じように難しい問題ではありませんか。それに熟議民主主義は堪えられるのでしょうか。

それともう一点、公共性ということに関していえば、オウム真理教★は日本の公共圏が守るべき宗教ではないとされているように思えますが、そうすると公共的な人間の集団がこれは公共性に反する宗教ですよというような選別を行なうことになり、そこに権威や権力が生まれそうな気がします。その辺の整合性はどうなっていくのでしょうか

デリダであれば、聖典のエクリチュールから離れることはできないし、離れて自由になったと思っても、そういう感覚自体がエクリチュールが生み出す幻想だと言うでしょう。普通の人はデリダほど極端ではなくても、自分の言葉が何某かどこかで習った台詞の部分的物まねと寄せ集めでしかないと思っているでしょう。しかしハーバマスは、人間にはそうした自分が身に付けてきた慣習や約束事を乗り越えて、まったく未知の人と分かり合いたいという根源的な欲求があり、それによってコミュニケーション行為に駆り立てられると考えているようです。彼は

★ オウム真理教
一九八〇年代後半から二〇〇〇年まで存在した新宗教団体。弁護士一家殺害事件、神経ガスであるサリンの散布による無差別テロ事件などを起こした容疑で教祖の麻原彰晃らが逮捕され、二〇一八年には麻原ら一三名がほぼ同時に死刑執行された。

もともと口唇裂でうまく話せなかったそうで、コミュニケーションに強い思い入れがあるのではないか、と言われています。むろん単に信じているだけではなくて、西欧のコミュニケーション形態の社会史や思想史、社会心理学、言語学、分析哲学の言語行為論などの知識を動員して、人間社会で慣習的で私的な言語使用を超えた、純粋な合意を可能にする方向にコミュニケーションが進化し、それが社会全体の進化を推進していることを論証しようとします。

他方でロールズはそうした人間本性論にはあまり踏み込まないで、アメリカは建国以来の歴史的経験のおかげで公共的理性が徐々に発達し、宗教人もその使い方を学んだことを強調します。アメリカはあれだけ科学研究に力を入れ、徹底した効率性を追求しているのに、妊娠中絶や進化論に宗教的に反対する人たちがなぜあんなに多くいるのか、と日本人の感覚からすると不思議ですね。しかし、彼らは憲法裁判や議会に代表を送り込んで論争します。つまり、公共的理性に訴えているわけで、それが重要です。右も左も自分の思想を一方的に布教するのではなく、憲法論議で勝利することに拘ります。それをロールズは公共的理性が働いている証拠と見ています。サンデルには、アメリカの憲法史が次第に価値中立性に傾いていったことを指摘し、それによって失われたものを指摘する『民主政の不満』という著作がありますが、そこでは最高裁の判例を引用しながら、どうやってそういう傾向を正当化する理屈が積み重ねられてきたのかを詳細に論じています。アメリカにはいろんな価値観を持つ集団が対立するさまざまな社会問題を、憲法訴訟を通して解決しようとする傾向があるわけですね。

日本では、宗教的対立があったとしても近い関係にある宗派の内輪もめ的なものが多くて、社会問題をめぐっての公共的な場面での論争にはなりません。どこかの宗派がある政治的イッシューを取り上げても、それが他の世界観を持った集団——ロールズの言い方だと、「包括的教説 comprehensive doctrine」を持った集団——と公共的論争を繰り広げることはありません。熟議で肝心なのは、こういう決定があったのは、こういう理由があるからだ、という説明が共有され、積み重ねられていくことです。納得がいかなくても、少なくとも自分も関与した公的論争が、こういう論拠でこう決着したと記憶していることが重要です。ハーバマスに、公共的理性の証拠を見せろと言ったら、ロールズなどアメリカの政治哲学者と同じようなものを出してくると思います。

オウム真理教の話ですが、確かにどこかの公的機関や審議会が許容可能かどうかを判断したら、おかしなことになるでしょうね。この点では、やはり欧米が参考になるようです。彼らはさんざん宗教戦争を繰り返してきて、最近になってようやく、どのくらいなら許容可能なのかということが、宗派別、問題別に定まってきた、という感じではないかと思います。彼らは、アーミッシュやエホバの証人やモルモン教のような、部分的に通常の法律に反する教義を持った宗教共同体とどう付き合い、どうなったら公共圏の仲間と認めていいのか、相場感のようなものを持っているのではないかと思います。日本は対立した経験が少ないので、相場感がないのだと思います。

基本的には、刑事犯罪やそれに類することを、個人ではなく、その教団全体でやっているかどうかが一応の目安だと思いますが、マスコミの影響なのか、教義を問題にしたがる人たちがいます。新興宗教の信者だった経験もある私に言わせれば教義なんて抽象的なので、なんとでも解釈できるものです。外の人間が、教義の表面的な理解に基づいて危険だ、平和的な宗教だ、と評価するなんてまったく無意味だし、傲慢です。平和そうな教義を持っている教団が暴走することもあれば、過激な教義のところが意外と何もしないなんて、ざらにあります。オウム真理教だって、自分たちは密教系の仏教に基づいていると言っているわけでしょう。教団としての行為が、現に他者に危害を与えているかどうかしか判断基準はないと思います。

――日本の宗教のことについて詳しく聞きたいのですが、日本の場合、アメリカやイギリスと比べて、政治から宗教的なものを排除して、政教分離がかなり進んでいる国だと思います。日本の政治における宗教の公共的な位置付けを考えたとき、西洋と比較して、どういう違いや問題があるのでしょうか。

天皇制と神道の結び付きを考えると、政教分離がちゃんとしているとは言えないと思います。現にそれで違憲訴訟を起こしている人もいるわけだし。ただ、それは単に儀礼であって、別に布教しているわけではないので、宗教とは見なさいと言うのであれば、おっしゃる通りでしょう。公共圏というのを「公の言論が交わされる場」だと考えれば、日本の宗教の多くは、あまり公共圏に進出していません。ごく少数、政治的な主張をする団体はいますが、さきほどお話ししたように論争相手がないので、あまり反響がない。戦前の、国家総動員体制の時期でさえ、国家神道が体系化された教義を持って国民全体を教化していたのか、というと微妙ですね。丸山眞男★はそういうものがあったという前提で、その正体を明らかにしようとしたわけですが。

キリスト教のような、世界のあらゆる問題に対して解答できると自負する、体系化された教義を持っている宗教は、どうしても公共の場の言論を支配したくなる。民主主義になっても、公共的なテーマについて神学的な見地から積極的に発

★ 丸山眞男
一九一四〜九六。日本の政治学者。主な著作に『日本政治思想史研究』『戦中と戦後の間』など。

言することで、影響力を拡げようとする。アメリカの場合、民主主義だからこそ、宗教が活気付いているという面があるのではないかと思います。

しかし日本だと、民主主義と宗教の結び付きがピンと来ないですし、外部の人と論争する宗教って、あまりありがたい感じがしないですね。政教分離が進んでいたということじゃなくて、宗教、特に神道が公共的な言論の場で闘うことにあまり重きを置いてこなかったのだと思います。宗教の問題に限らず、日本には論争で決着つけないといけないという発想があまりなくて、棚上げできる問題は棚上げして、正しいかどうかの判定を出すのを避けようとする傾向があります。

日本には今でも堕胎罪はありますが、ほとんどの妊娠した女性はお金さえ払えば中絶はできるから、裁判所で争わない。フェミニストにも堕胎罪を取り除くべきだ、徹底的に議論すべきだという考えの人がいないわけではありませんが、多数派になりません。中絶できるのに何で争う必要があるんだ、法律に拘って○○の権利を獲得したってしょうがないだろ、と多くの日本人は考える。そのため、宗教が入り込んで、大論争を繰り広げる余地が少ない。

だから、オウム真理教のように、党首自ら選挙に出るようなところが出てくると、「宗教は厄介だ」と言い出すのだけど、その場合の〝宗教〟は、教義によって自己主張しようとする新しいタイプの宗教のことであって、冠婚葬祭や地鎮祭などの儀礼、観光を主な仕事にしている、古くからある宗教のことは念頭に置いていません。

――日本は圧倒的に仏教の国ですね。仏教には教義がたくさんあります。日本の仏教にとって哲学がどういう位置を持つのか、お聞きしたいです。また、哲学というのは絶対的なものは求めず、みんな相対的だという前提に立つから広がっていくというところがあります。絶対的なものを求めないという意味での理想が哲学だと思うし、宗教もこれからは絶対的なものを求めないで生き抜いていくのではないかと思いますが、どうでしょうか。

仏教と言っても、神道と融合して、教義の面で自己主張しなくなった仏教ですね。ただ日本史を遡ると、仏教の受容をめぐる蘇我と物部の争い★や、道鏡★事件、平安時代の僧兵たちの政治介入、鎌倉仏教、特に日蓮宗は世直し志向ですね。石川県なんて、戦国時代には一向一揆★の中心地だったわけでしょう。それが江戸時代の間に、大きな宗派は政治に表立って介入しなくなった。怪僧のような人も出てくるけど、あくまで将軍に対する個人的影響です。明治時代の廃仏毀釈★もそれほど徹底しなくて、大きなところは何となく国家神道と共存できるようになった。

★ 蘇我と物部の争い
六世紀に百済から伝わった仏教をめぐって、崇仏派の蘇我氏と排仏派の物部氏を中心に政争が勃発するが、丁未の乱によって物部氏が滅ぼされる。

★ 道鏡事件
奈良時代の七六九年、僧の道鏡が称徳天皇から皇位を継承しようとした事件。

★ 一向一揆
戦国時代に一向宗（浄土真宗）の信徒が起こした反権力闘争。

★ 廃仏毀釈
大政奉還後の明治初期、神仏分離政策を目的として仏教を排撃し、仏像や仏具を廃棄する運動が起こった。

国家総動員体制の時は、同調することで生き残った――血盟団事件★のようなものもありましたが。仏教に限らず、近代日本の宗教はオウム真理教のように少数派のまま過激な言動に走るものもありますが、大きな団体になって安定すると、教義における自分たちの絶対的正しさを宣伝するということはなくなる傾向があるようです。

哲学が絶対的を求めないというお話しですが、少し正確に言うと、哲学は「絶対的なもの」を探究するんですが、何かの権威によって「答え」を決めることはしないんです。「絶対的なもの」に対するいろんなアプローチを認め、自分が出したのとは違う「答え」を一概に否定しないで、反論しようとします。反論を許さない人は、哲学者ではないと思います――ちゃんとした論拠のある反論に限っての話ですが。宗教は信仰しないといけないので、信じるべきポイントについては議論を打ち切る。そこが違うんです。今の仏教はあまり論争することがないため、教義に関する対立点が浮上しないから、「絶対的なもの」に固執している感じもしないですが、江戸時代までは結構激しくやり合っていた時期もあったわけでしょう。お寺と信者の関係を維持すればいいだけなら、「絶対的なもの」を強調する必要はありません。

西洋では、自分の教義を押し付けてくるキリスト教の諸宗派や神学者がいたか

★ 血盟団事件
日蓮主義をベースとした仏教神秘主義を信奉する井上日召を中心とする右翼グループ血盟団が、一九三二年に起こした連続テロ事件。前蔵相の井上準之助や三井財閥総帥の団琢磨が暗殺された。

らこそ、そのくびきから脱して自由に思考したいという「哲学」が盛んになったし、「哲学」が公共的言論の有力な担い手でもあったわけです。カントやヘーゲルなんか、そういう風に自分の役割を自覚していたんだと思います。西欧において、公共の言論におけるキリスト教の影響は次第に低下していますが、現代では、ハーバマスが言うように、イスラム系の移民の増加や、ポーランドでのカトリック系保守主義の政党の台頭など、部分的にですが、再び宗教が公共圏での影響を増しつつあります。

日本の場合、「哲学」が公共的言論に担い手になることがさほど期待されていないのは、強烈に教義を押し付けてくる宗教があまりないので、「絶対的なもの」について自由に考えられることの重要性が認識されていないからだと思います。「色即是空」とか「縁起」「真言」「解脱」などの仏教系の概念について、哲学者が好き勝手なことを言っても、専門家ぶった仏教学者に嫌味を言われるくらいで別に迫害は受けません。哲学者なんてそもそも無視されている（笑）。だから、自分が見つけた「絶対的なもの」に拘っても独り相撲のようになる。私はそれが悪いことだとは思いません。哲学の授業でディベート的なものをやるときは、対立軸はいりますが、授業以外のところで、無理に仮想敵を作る必要はないでしょう。〝哲学者〟を名乗る人が、既成の右翼、左翼のいずれかの陣営に加担することはありますが、あれは、「哲学的な絶対」の探究とは関係ありません。

ただ、日本で今後、絶対的な答えを押し付けてくるイデオロギー集団が台頭してくることが決してないとは言えません。そういう事態になったら、哲学的な思考をすることが、社会的にリアルな意味を持つことになるのではないかと思います。

第10講

戦争と哲学者

哲学は戦争を抑止できるか

2019年11月16日

哲学で戦争を止める?

前回は哲学と宗教の話でしたが、今回は哲学と戦争についてです。

戦争を宗教で止めると言うと、抵抗のある人が多いと思います。自分が強い信仰を持っている人でも、なんらかの宗教によって戦争を止めると言うと、ちょっと変なイメージが湧いてきますよね。同様に、哲学の名の下に戦争を止めると言った場合でも、宗教の場合と同じようなことが想像されるんですよね。実際にはそんなことは無理でしょうが。

一般論として、職業的な哲学者が存在できるのは、ある程度経済的に豊かで、文化産業が発達している国でしょう。文化的な活動と国内の平和がないと、哲学は仕事として成り立ちません。全面戦争している国で職業的専門的な哲学者でいられる余裕はなさそうなので、哲学者が平和を好むのは当たり前といえば当たり前です。

先進国の哲学者で有名な人は、比較的リベラルな立場が多いですし、保守系の哲学者でもめったやたらに戦争をやっていいという人はまずいない。哲学者が戦争について語るとすれば、どうしても安保論争と同じ構造になってしまうんですよね。絶対的に無抵抗を貫くことによって戦争を根絶しようとする態度をとるのか、あるいは防衛のための戦争は正当化するか。どうしてもそこに関心が集中してしまいます。通常の政治における議論と違うのは、戦争による被害の予想や予防の可能性、軍事費、国民感情、神の意志などにアピールするのではなくて、戦争や平和、国際的正義などを厳密に概念規定することで結論を導き出そうとすることでしょう――〝哲学者〟の肩書で、戦争と平和に関して自分が支持する党派の主張を代弁している人がいますが、そういうのは論外です。

ロールズ『万民の法』をめぐって

現代のリベラルな哲学者で最も知られているのは、すでに亡くなっていますが、『正義論』を書いたジョン・ロールズ★です。ロールズは――これは次回の「哲学と資本主義」で論じるテーマになりますが――再分配をどう根拠づけるか、自由

★ ジョン・ボードリー・ロールズ
本書一三三頁の脚注を参照。

と再分配をどう両立させるかを考え、「格差原理」という基準を提案した人です。

ロールズは最晩年に『万民の法』という本を刊行しています。原タイトルを*The Law of Peoples*と言います。わざとNationともStateとも言わずに、Peoplesという単語を使っています。Peopleは、国家の構成員の集合体という意味での「人民」、あるいは「民衆」という意味ですね。同質的な文化を共有するNationでも、国家機構でもなく、たまたまある国に生まれ、さまざまな文化の中で生きている民衆が主人公です。

「万民の法」がどういうものかというと、各国が連合体のようなものを作って、その間で締結するものです。国連憲章と同じように聞こえますが、各国の義務を、国際的正義という観点から安全保障面だけでなく、経済面でも明確に規定していて、豊かな国は貧しい国を援助する義務があるという規定も含んでいます。哲学的に言うと、実現すべき国際的な「正義」の原理を決めてそれに基づいて各国の権利と義務を定めているところに特徴があります。当たり前のことのようですが、今の国連は平和や共存に関するものすごく抽象的な理念を掲げているだけで、各国相互の関係の行動規範になる正義の原理は持っていません。国連憲章に「正義justice」という言葉は一応出てきますが、どうすることが「正義」なのかは述べていません。

ロールズは、国内正義に関する『正義論』という著作で、「無知のヴェールveil of ignorance」という仮想の装置があるものと考えてみよう、と問題提起しています。自分たちが生きている社会の法律や道徳的ルールの元になる「正義」の原理を話し合って決めようというとき、人間はエゴイストなので、現在の自分に有利に決めようとします。稼ぎの多い人は累進税率を低めに、少ない人は高めにしてほしいと思う。健康に自信のある人は医療や介護への国家や自治体の支出は少なくていいと思うが、自信のない人は増やしてほしいと思う。みんな自分のことを基準に意見を言ったら話し合いの余地などなく、多数決や平均値を取るとかで無理に決めるしかない。ただ、敗けそうな側は、そうやって無理に決めること自体に反対するので、合理的な根拠による合意などあり得ません。そこで各人が自分の年齢とか心身の能力、家柄、生活環境、ジェンダー、民族など、我田引水の元になる情報をすべて瞬間的に忘れさせる装置があると想定してみよう、というわけです。忘れるのはあくまで自分の情報で、その社会の中の収入とか年齢構成、文化的差異などの分布状況は分かっている、という設定です。

そうした不確定な状況だと、みんな不安になって、自分が一番弱い立場になる場合や相対的に最悪の位置にいる場合を想定して、そういう自分にとって最も有利な正義の原理を選ぶのではないかと示唆します。それに反論して、自分が一番弱い場合ではなく、平均的立場にいると想定して選ぶ、と主張する経済学者もいます。そうなると、財の分配に関しても一番経済的な能力が低い人に有利な仕組みを採用することになります。それを「格差原理 difference principle」と言います。経済的格差の存在が許されるのは、その格差が存在することによって、その社会の中で相対的に一番弱い立場に立つ人たちにとって利益になるような場合に限る、という原理です。現実に即して分かりやすい言い方をすると、経済成長を前提にして、各人や企業の収入、収益の伸びに合わせて変化する税率や、あまり生活能力が高くない人にも利益が回るような仕組みを作っておき、それらと両立する格差であればいい、ということです。

「無知のヴェール」は実在しませんが、保険や年金などの、不確実性ゆえの不安を回避する制度が機能しているのは、部分的に「無知のヴェール」が働いているからと考えられます。『万民の法』では、ロールズがそうした「無知のヴェール」の下で採択されると想定する正義の原理、「公正としての正義」——基本的自由に関する第一原理と、社会的経済的不平等に関する（格差原理を含む）第二原理を中心に構成されるという意味で、「正義の二原理」と呼ぶこともあります——を採択した国の民衆の代表が集まり、各国間の相対的な有利・不利についての情報を遮断する第二の「無知のヴェール」の下で、国際的な「正義」の諸原理を採択させるよう提案します。どっちみち、架空の話を前提にした二重に架空の話ですが、そういうリベラルな民衆だけで「万民の法」を採用しようとすると、それ以外の民衆がたくさんいすぎて、世界の秩序を保てそうにありません。そこでロールズは、良識のある階層制を採用している民衆を想定して、彼らにも「万民の法」への参加を認めます。階層の違いはあって人びとは完全に平等ではないけど、基本的に人権は守られていて、下の人の意見が長老のような人に相談することで、上に意見を上げていく仕組みがあるような社会です。ロールズはそういう社会のモデルとして、カザニスタンという架空の国を想像し、そこでどういう制度が採用され、国民がどういう状態か想像します。

「リベラルな諸民衆 liberal peoples」と「良識ある諸民衆 decent peoples」が協働して、秩序を乱し戦争を引き起こす「無法国家 outlaw states」に対抗する「正戦 just war」に備え、貧しきすぎて民主主義を実施することが貧しい「重荷を負った社会 burdened societies」が自立できるよう援助する義務がある。そういうことが、「万民（諸民衆）の法」の原理として定められます。ロールズが想定していることの法の諸原理にはこのほかに、各国民衆の自由と独立、条約や協定の遵守、相互不干渉、人権の尊重など、現在の国際法の基本になっているけれど、実際にはあまり守られていないことが含まれます。ロールズはこれまで慣習によって通用していたそれらを、改めて第二の「無知のヴェール」の下で合意される正義の原理にしようとするわけです。

ロールズの弟子たちは、ロールズが国際的な富の再分配でも「格差原理」を導入することを期待していたようですが、ロールズ本人はその可能性を否定して、「援助義務 duty of assistance」に留めています。どうしてかと言うと、リベラルな民衆や良識ある民衆は、各国ごとに自らの政治文化に従って経済を含めて政策運営しているので、その自立性を互いに尊重しようとすれば、国家の政府の方針に反する形で再分配を強行することはできないし、援助の対象になりそうな国の多くは、第二の「無知のヴェール」の下で「万民の法」に合意したメンバーではないだろうから、合意の当事者でない国との間で「格差原理」を適用することには無理がある、というわけです。先進諸国は、実際には互いの経済政策を尊重するという建前から、共通の福祉政策は行なおうとしません。EU加盟国でさえそうです。先進諸国やIMFが、途上国に支援するときに、先進国と同じ基本政策を取れるよう改革を進めることを要求しますね。いずれも本音としては、無駄遣いする奴の面倒は見切れない、勝手にしてくれ、という理屈ですね。東大の井上達夫★さんは、この点が引っかかって、ロールズは現実主義的に妥協した、この著作を書いた時点でロールズは哲学的に死んだと言い切りました。

★ 井上達夫
一九五四年生。法哲学者、東京大学名誉教授。主な著作に『自由論』『世界正義論』など。

「格差原理」を厳密に実現するのはかなり困難です。ロールズ批判でよくある議論ですが、最も弱い立場の人というのが、たとえば、今の医療だと治る見込みのないまま植物状態で寝ている患者さんだったとします。その人の状態は、いくら経済成長しても絶対に改善しないわけですね。だったら格差が生じるような経済成長は不可能になります。植物状態の人に比べると、どんな貧しい人でもそれより恵まれていることになり、ほんの少し公共的扶助を受ければ、ものすごく生活が改善される人も含めて福祉の恩恵を受けることができなくなります。その場合、ロールズの正義の第二原理は、たとえみんなで貧しくなっても平等を優先する、という完全な社会主義的平等になってしまう。むろんロールズは、そういうのは格差原理の曲解だ、厳密に最も弱い人に照準を当てているわけではなく、収入の一番低くなりそうな階層の平均的な状態を想定している、と反論しています。

ただ、だとしても、最も弱い立場の人というのをどう特定して、どういう政策を取れば、その人たちの状態が全般的に改善できると言えるのか難しそうですね。

すべて税金を使って調整するにしも、下手な税制にしたら共倒れになるだけです。それを国際的に展開するには、どうしたらいいのか。

さきほどもお話ししたように、再分配といっても国家主権の壁があります。世界国家を作って強制的に再分配するなら話は別ですが、国家主権を維持したまま各国で税金を集めたあと、それを最も貧しい国々に有利になるよう再分配するとなると、豊かな諸国で物凄い反発が出るでしょう。「どうして全然知らない遠くの国の人のために、私たちが稼いだ富を自動的に譲渡してやらないといけないのか。あいつらはいい加減なことをやっているせいで貧しいのではないのか。まず、あそこの政府をどうにかすべきだ」と。

では、世界国家によって強制的に再分配するのかとなると、そういう国家を作ること自体が大変ですし、各地の住民の経済事情を測り、比較しながら、世界全体の成長を図ることができるのかどうか。たとえば景気が好調に見えても借金が多いので不安定とか、気候や貿易による変動要因が大きいとか、市場での競争の状況とか、いろいろなことを考慮しないといけない。多くの地域や集団が自分たちこそ最も弱いとアピールして、取り分を増やそうとするでしょう。そういうのを一切無視して、最初に決めた基準ですべてを押し切る強権を発動するのか。完全社会主義にしたら文句のつけようはありませんが、それだったら、さきほどのように世界全体で平等に貧しくなる、ということになりかねません。

今の国家でさえ強権的だと言って反発する人が多いのに、それだけ世界全体を有無を言わさず支配する世界国家に人びとが賛同するのか。世界国家ができれば、理屈の上では「戦争」はなくなります。その代わり、内戦が勃発するようになるでしょう。戦争の代わりに、叛乱と世界政府による鎮圧という内戦が取って替わるのはいいことなのか――世界内戦化についてはまた、後でお話しします。それとも、内戦さえできないくらいの強権と思想統制を、世界国家が実行するのか。

人間本性と平和

哲学者が考える戦争や紛争抑止は、政治で現実的に行なわれていることを見て、そこから何歩か先の理想の状態を想像し、その想像の方向に実際に向かっていくにはどういう原理に基づく政策を取ればいいのか、逆算します。マルクス主義者やアナーキストが五歩くらい先を想像しているとすれば、ロールズはせいぜい二歩くらいでしょう。現実的な提案をして政治に影響を与えたいのであれば、あまり先走らないで具体的なデータを踏まえながら、実務の専門家が耳を傾けてくれる程度の話にしておくのが無難ですが、それだと哲学的なシャープさが失われ、井上さんのような人から非難される。

どうやったら本当の平和が実現できるのかを哲学的に考えるときに避けて通れないのは、「人間」自体が変わらないで戦争をやめることができるのか、ということです。武器があるから戦争が始まるんだと言う人がいますが、武器を使いたい、使わないといけないと思う人がいるから武器が作られるわけです。たとえ世界政府が武器をすべて没収できたとしても、武器を使ってでも相手を殺したい、あるいは支配したいという欲求がある限り、戦争の心配はなくならない。政府の隙をついて武力行動を起こすかもしれないし、そういう相手を鎮圧するのに、政府自体が武器を使わざるを得ない。

SFのように各人を完全に心理的にコントロールできれば、武力闘争を停止できるでしょうが、それは人間の本性を改造することです。ロールズの「無知のヴェール」の戦略は、人間のエゴイズムをそのままにしているように見えますが、一方で、他者の立場で正義について考える想像力を要求していて、かなりハードルが高いようにも思えます。サンデル★は、普通の人間では、その手の想像力は自分の属する共同体的に限定されると主張しますが、サンデルはサンデルで、共同体に対する各自の義務について結構ハードルの高そうなことを言っています。

★ マイケル・サンデル
本書八七頁の脚注を参照。

戦争は政治的判断に基づく集団的な暴力行使ですが、人間はその本性において、暴力というか、力による圧力抜きでお互い分かり合おうとする存在なのか、それとも、暴力は人間の本性の一部なので、ある程度抑えることはできても、根絶は不可能なのか？　前回紹介したハーバマス★は、人間は、潜在的には暴力を超えて理解し合おうとする潜在的欲求を持っている、と考えます。それに対してフランス系の現代思想には、前々回見たバタイユ★のように、人間には自分の属する秩序を破壊しようとする根源的な衝動があると考える人が多いです。そういう発想をする人は、宗教儀礼のような暴力衝動を発散させる仕組みがあればさほど巨大な破壊にはならないけれど、国家のような組織が暴力を組織的に管理し、利用しようとすると大きな災厄がもたらされる、と主張します。

戦争は平等を達成する

古代に遡るほど、哲学者は戦争を絶対悪と見なさず、国家の当然の活動の一つと見る傾向が強く見られます。前々回も話題にしたように、ソクラテス★は戦場で勇猛さを示しました。彼がアテネの町で好き勝手に若者たちに問答を仕掛ける

★　ユルゲン・ハーバマス
本書八七頁の脚注を参照。

★　ジョルジュ・バタイユ
本書八一頁の脚注を参照。

★　ソクラテス
本書一一頁の脚注を参照。

ことが許されていたのも、彼が勇敢な兵士だったからかもしれません。プラトン★の『国家』の市民として、下層の生産者階級と、統治者である哲学者の階級との間に、戦士の階級というのが想定されています。この戦士の階級は勇気を特徴としています。哲学者ほどではないにせよ、生産者よりは徳が高いとされています。ポリスを守るのは重要な仕事だからです。

中高の世界史の教科書に書いてあることで、古代アテネは民主国家として有名ですが、その民主的な連帯がどこから生まれてきたかというと、市民たちがそれぞれ土地、つまり財産を持っていて、それを守るために自分で武装して兵隊として戦争に参加していたからだとされています。財産を守るために共に戦争に参加することが市民の平等性の根幹にありました。こうした平等や連帯と戦争の繋がりは、世界史のいろんな局面で出てきます。アメリカが自由で平等な国になったのはなぜかというと、独立戦争で一緒に戦った経験があるからです。黒人の公民権運動が第二次世界大戦後に盛んになりましたが、その背景の一つに第二次大戦では黒人の大量動員が必要となったため、彼らを平等に扱わざるを得なくなりました。軍人が社会復帰するのを助ける「GI法」という法律が一九四四年に制定され、黒人の退役軍人でそれを利用して大学に登録する人が増えましたが、南部の大学にはそれを拒否するところがありました。国のために戦ったのに差別す

★ プラトン
本書一一頁の脚注を参照。

るのかということで、それまで以上に平等を求める声が強くなり、連邦政府も黒人の要求を支持せざるを得なくなったのですね。朝鮮戦争、ヴェトナム戦争と、戦争が続いたからです。

雑誌『論座』に、赤木智弘★さんの「『丸山眞男』をひっぱたきたい」という論考が掲載されて話題になったことがあります（二〇〇七年一月号）。「ひっぱたきたい」という言葉には、丸山眞男★に代表される、いわゆる左翼知識人がけっこう羽振りがいいことに対するルサンチマンも込められているのですが、これにはもう少し明確な根拠があります。丸山は、教育召集を受けたとき、体制批判的な知識人と見られていたことから、普通は東大の助教授（現在の准教授）なら士官として任官できたはずなのに、二等兵として朝鮮半島に送られました。そのとき、中学にも行ったことのなさそうな一等兵によく殴られていたそうです。東大で日本政治思想史を担当している苅部直★さんの『丸山眞男』（岩波新書）にそのエピソードが紹介されています。「ひっぱたきたい」には、戦争が起こり、軍隊に召集されれば従来の階層が崩壊し、軍内の階級が下であれば、東大助教授であろうと遠慮なくひっぱたけるほど平等になる、という意味が込められています。

★ 赤木智弘
一九七五年生。ライター。主な著作に『若者を見殺しにする国』

★ 丸山眞男
本書一四七頁の脚注を参照。

★ 苅部直
一九六五年生。政治学者。主な著作に『丸山眞男』『鏡の中の薄明』など。

すべての戦争がそうだとは限りませんが、国家の全力を挙げての戦争では、自国民を大事にせざるを得なくなる。そのため平等が急速に達成されることがあります。政治が王や領主、教会などの封建権力のものになり、一般市民が排除されていた中世ヨーロッパは、古代ギリシアやローマに比べて同胞意識が薄れたと言われています。しかし近代になって、国家意識と共に同胞意識が復活します。思想史的には、その象徴はマキャヴェッリ★の『君主論』だとされています。

『君主論』では君主の「力量」が重視されています。原語のイタリア語は virtù、英語の virtue に当たる言葉です。普通は「徳」と訳されますが、ラテン語に遡る元の意味は「男（vir）らしさ」「勇猛さ」「強さ」で、そこから「(高度の）能力」とかキリスト的な「徳」といった意味も派生してきたのですが、マキャヴェッリは語源に近い意味として、君主が身に付けるべき〝徳〟ないしは力強さのような意味でこの言葉を使っています。それを日本語で「力量」と訳しています。

君主の「力量」とは、具体的には敵の排除、武力による勝利、そして民衆や兵士から畏怖されかつ敬愛されること、政敵の抹殺、強力な軍隊の組織、他の諸侯と友好関係を保ち利用すること……。他者を騙したり、殺したりすることを力量

★ ニッコロ・マキャヴェッリ　一四六九〜一五二七。イタリア・ルネッサンス期の政治家、軍事思想家。主な著作に『君主論』『「ローマ史」論』など。

としているので、マキャヴェリズムは悪いイメージで捉えられるわけです。ではなぜわざわざこうしたことを強調するのか、マキャヴェッリが言わなくても君主はそういうことをやっていますし（笑）。キリスト教の道徳がまだ生きていた時代です。君主の「徳」について論じている以上、嘘でもいいから神の意志とか神の方と関係付けないといけなかった。『君主論』が近代政治学の始まりだとされているのは、神とまったく関係なく、国家を維持し、拡大するという視点だけから、君主の「徳＝力量」、政治を語ったからです。

当時はイタリアという国家自体は存在せず、いくつかの都市国家が分立していました。大きいところだけでも、ミラノ、ベネチア、フィレンツェ、シチリア、ローマ教皇領の五つが拮抗していました。言語が近いし、ローマの文化遺産を受け継いでいるので、イタリア人という意識はあったとはいえ、まとまってはいなかった。ローマと法王庁を支配下に入れようとして、神聖ローマ帝国、フランスがしょっちゅうイタリアに侵入してくるんですが、イタリア人には祖国という意識があまりないから、彼らの傭兵になって祖国を荒らす。そこで愛国心というものが必要になってくるんですね。愛国心が自然に備わってないのであれば、誰かが「国家」という概念を作り出し、自分がそれを守るという意識を人びとに持たせないといけない。民衆からの畏怖と敬愛を強制しているように見えますが、そ

ニッコロ・マキャヴェッリ

うしないと一つの国民としてまとまらない。自分の国を守るべきものだと思っていないのなら、共通の「敵」を作って、そう思わせないといけない。国をまとめるという大義のためなら、あらゆる手段を取れる。それが君主の「力量」です。

日本だと、一九八〇年代は中曽根康弘★がマキャヴェリストと言われていました。九〇年代に小沢一郎★がそのイメージを継承した感じでしたね。国のためだということで、まとまらない者たちを脅したり賺《すか》したりして強引にまとめる。手段なんか選んでいられない。そういう人は嫌われると同時に、すごい奴だと畏れられる。

戦争と自発性

そのマキャヴェッリにはもう一つ有名な著作があります。『ディスコルシ——ローマ史論』では、マキャヴェッリが真に理想とする国家形態としての共和政が描かれています。君主が恐怖によって無理やり統治するのではなく、市民たちが自発的に自分の国家を守るのがいいのだけど、今のイタリア人にはそういう意識がない、古代ローマの共和制が栄えたのは市民にそういう意識があったからだ、と主張しています。ちゃんと戦争に勝てるんだ、ということをしっかりした共和

★ 中曽根康弘
一九一八〜二〇一九。自由民主党の政治家。一九八二年から八七年まで首相を務め、タカ派の言動で知られた。

★ 小沢一郎
一九四二年生。自由民主党を皮切りに政治家として活動し、一一の政党を経て、現在は立憲民主党所属。

制かそうでないかのバロメーターにしています。君主一人でなく、市民的共同体の力量を問題にするわけですね。ポーコック★という歴史家は『マキャベリアン・モーメント』という著作で、マキャヴェッリの共和主義が内戦期のイングランド、特にジェームズ・ハリントン★を経て、ジェファソン★などアメリカの建国の父たちに継承されていく壮大な流れを描き出していますが、そこで重要なのは、自分たちの土地を自力で守るという、ポリスの独立自営農民のような意識です。

デカルト★は若いとき自ら志願して軍人になり、軍事工学を学びました。ロック★は不当な戦争による征服では新しい土地や人民に対する権力は生じない、としていますが、逆に言うと、不当な侵略から土地や人民を守る正当な戦争は必要なわけですし、国家の存在理由でもあります。抵抗権による革命も戦争だと考えられます。ルソー★は『社会契約論』で軍務に就くことは市民の義務だとし、ローマ共和国に倣って、緊急事態に通常の法律の規則を超えて命令を出すことのできる独裁官の必要性を説いています——マキャヴェッリも独裁官の必要性を論じています。高校の倫理の教科書に出てくる二〇世紀前半までの西欧の思想家で、軍事一般を否定した人はいないと思います。ハリントンやジェファソンのような共和主義者は、国を愛するがゆえに、戦いをも辞さない強い態度を取ります。

★ジョン・グレヴィル・アガード・ポーコック
一九二四年生。イギリス出身の歴史家、政治学者。主な著作に『マキャヴェリアン・モーメント』『島々の発見』など。

★ジェームズ・ハリントン
一六一一〜七七。イングランドの政治思想家。清教徒革命から王政復古期に共和主義を唱えた。著作に『オセアナ共和国』がある。

★トーマス・ジェファソン
一七四三〜一八二六。アメリカの政治家。第三代大統領。アメリカ独立宣言の起草者の一人。

★ルネ・デカルト
本書六五頁の脚注を参照。

★ジョン・ロック
本書一一一頁の脚注を参照。

★ジャン＝ジャック・ルソー

グロティウスの考える「戦争」

グロティウス★の名前はご存知でしょう。「国際法の父」と言われています。レジュメには、「戦争と平和の法　De jure belli ac pacis」（一六二五年）の一部を抜粋しておきました。原文はラテン語ですが、これはその英訳です。一七三八年にジョン・モリス（John Morrice）という人が中心になって訳したものです。

法学部などの授業では、国際法は、国家間の平和を維持するための法として教えられることが多いです。しかしグロティウスは、タイトルの通り「戦争」を前提にしているんですね。しかも彼は国家の起源を、人びとが自分を主人に対して奴隷とすることに同意した時点にある、と見ています。

冒頭に「the Right of War（戦争する権利）」について書かれています。そういう権利があるんですね。「戦争」を、武器の力によって争う人びとの状態あるいは状況と定義しています。この定義だと、国家と国家の間の戦争、公的戦争よりもずっと範囲が広くなりますね。グロティウスは実際、国家以前の「戦争」も視野に入れようとしているようです。「戦争」を意味するラテン語〈bellum〉は、英語のduel（決闘）の語源でもある〈duellum〉から派生しています。これは「二」

本書九五頁の脚注を参照。

★ フーゴー・グロティウス　一五八三〜一六四五。オランダの法学者。主な著作に「戦争と平和の法」「自由海論」など。

フーゴー・グロティウス

という意味の duo から来ている言葉で、二人の人の間の差異というのが本来の意味ですね。それに対応して、peace（平和）を意味する〈unitas〉は、英語の unity の語源で、「一〈unus〉であること」が本来の意味です。

日本語で「正義」と「権利」はまったく別の言葉ですが、ラテン語の jus は「法」「権利」「正義」を意味する言葉で、フランス語の droit やドイツ語の Recht など、対応する西欧の多くの言葉はこの三つの意味を持っています。三つが完全に別の単語になっている英語が特殊です。「戦争の権利」という概念は、それが、「正義」だという意味合いを含んでいます。グロティウスは、「戦争の権利」はその定義からして、敵に対して不正義を成すことなしに行使し得るものである、と述べています。確かに、そうでないと、「権利」という言葉が意味をなしません。定義上当たり前の話ですが、現代だと、戦争自体が不正義であって、戦争する権利などおかしいと言う人が結構いそうですね。

自衛のための戦争とその起源

グロティウスは、どんな動物も自分の生命を維持し、守るための力や能力を備えており、それらを実際に利用することは自然法に反しない、という考察からスタートします。ライオンのような獣でも通常はお互い同士を無暗に攻撃したりしませんが、自分の身体に攻撃が加えられると、激しく争います。それは人間に関しても基本的に言えることです。攻撃を受けたら防衛のために力を行使するのは、むしろ人間の本性にも適っています。グロティウスは、キケロ★など古代の思想家の議論を参照しながらこの点を強調し、聖書もそうした防衛のための武力の行使を禁じていないことを確認します。他の動物と人間が違うのは、人間が理性的な被造物として共同体を作っていて、そこでは理性によって、互いにやってはいけないことを約束によって決めるということです。人間の本性に根ざした自然法と、習慣によって成立した約束ごとによって、それをやると「不正」と見なされること、そして「不正」から身を守る「権利」が定まっています。それは「国民の法 jus civile」のレベルだけでなく、世界のあらゆる「民 gens」が共有する「万民の法 jus gentium」のレベルでも言えることです。

グロティウスは「万民の法」が存在すると考えているわけですが、その「万民法」は、各「民衆」が自分たちの権利を守るために「正しい戦争」「正戦」を実行することを許容しているわけです。その前提の下で、戦争をする際の規則、宣戦、捕虜や略奪品の扱い、休戦のやり方などを規定しています。ここでは戦争は

★ マルクス・トゥッリウス・キケロ 前一〇六―前四三。ローマ共和政末期の政治家、弁論家。主な著作に『国家論』『友情について』『神々の本性について』など。

単なる集団的暴力行使ではなく、「万民の法」によって定められたルールに従っての紛争解決の一つのやり方と捉えられているわけです。そのルールは、敵国内の者は女性や子供を含めてすべての人が殺傷の対象になり得るとか、捕虜を奴隷にしていいとか、今から見るとかなり野蛮です。

当時もキリスト教的な観点から、戦争することそれ自体が悪であるという考え方はあったようで、グロティウスはそれに反論しているのですが、あまり力を入れずあっさり片づけている感じです。国家には自己防衛のために戦争を起こす権利があることが国際法の大前提だったわけです。第一次世界大戦後のケロッグ＝ブリアン条約になってようやく戦争自体が不当だという考え方が国際法に入ってきましたが、これだって、戦争を紛争の手段にしてはいけない、と抽象的に規定しているだけで、自衛を理由にした戦争の余地を残しています。

サン＝ピエールの永久平和論

サン＝ピエール★は、聖職者の資格を持ったフランスの外交官です。一八世紀初頭にヨーロッパの主な大国が長いあいだ戦争をしたときの終戦協定であるユトレ

★ アベ・ド・サン＝ピエール
一六五八〜一七四三。フランスの政治思想家で聖職者。国際平和機構の創設、戦争放棄などを主張した。主な著作に『ポリシノディ(多元的会議制論)』など。

ヒト条約締結の際に、外交官として立ち会いました。

国民国家が形成されつつあった当時のヨーロッパでは、大国間の勢力争いでしょっちゅう戦争が起こり、多くの死者が出、住居や農作物に多大の被害が出ただけでなく、戦費調達のための税金の重圧で各国住民は苦しんでいました。そこで彼は『ヨーロッパに永久平和をもたらすための構想』と題した著作で、ヨーロッパに恒久的な平和をもたらすための構想を打ち出しました。当時のヨーロッパ諸国は、強国同士、特に当時最強国とされていたフランスと神聖ローマ帝国の皇帝を出していたオーストリアの間の勢力均衡によって平和がもたらされると期待していましたが、サン゠ピエールに言わせると、両国の勢力均衡だけだとあまりにも不確定要因が多くて安定しない。そこで彼はヨーロッパのすべての国が参加する「ヨーロッパ連合 Union de l'Europe」を作ることを提案しました。

当時、オランダやスイスはすでに連邦国家になっていたし、神聖ローマ帝国も事実上、多くの独立した主権国家の連合体でした。オーストリアの君主は最大の勢力を誇っていたけれど、プロイセンのような領邦国家が台頭して、帝国内での地位は盤石のものではなく、帝国議会を通じて相互の利害を調整していました。それらをモデルにして、ヨーロッパの諸国がそれぞれの主権を保ちながら、お互いの間に生じた問題を合議で解決する連合体になればいいのではないか、というのがサン＝ピエールの提案です。具体的には、共通の安全保障のための軍隊を創設し、共同の病院や大学を建設するために各国が国力に応じて分担金を出し、その運営のために各国の代議員からなる議会を設置し、あわせて加盟国間の紛争や通商に関する問題を裁定するための常設裁判所も設置するというものです。今のＥＵのようなものを構想していたわけです。

このサン＝ピエールの構想については、ルソーが一七五七年から五八年にかけて書いた「Jugement du Projet de paix perpétuelle de Monsieur l'Abbé de Saint-Pierre（サン＝ピエール師の永久平和論の評定）」という論文で論評しています。永久平和の構想自体は評価するけれど、どのように君主たちにそれを受け入れさせるのか、という疑問を投げかけます。彼らはひたすら自分の利益を追求し、より強くなろうとします。

彼らがこの構想を受け入れるとしたら、力によって強制されるときだけです。それだけの強い力によって連合を作り上げたとしたら、それはこれまでにない強大な専制国家になるしかないのではないか。君主を信用してないわけですね。この少し後、ルソーは『社会契約論』を著します。

サン＝ピエールやルソーの議論に刺激されて、最晩年のカント★が『永遠平和のために *Zum Ewigen Frieden*』という論文を書いています。この本の「序」でカントは、このタイトルが、あるオランダの宿屋の看板から取ったものであることを示唆しています。その看板には、墓場の光景が描かれていたということです。人間がいなくなれば平和になるという皮肉が込められているわけですね。因みに、ドイツ語で墓地のことを Friedhof と言いますが、これはもともと、「平和の庭 Hof」という意味合いの言葉で、ドイツ語では、「平和」と「墓地」が結び付いているようです。ドイツには実際、「永遠平和のために」という名前の墓地があるようです。

この『永遠平和のために』は、本当にあのカントが言ったのかというほど分かりやすい提案をしています。レジュメにあるように、以下の六つの予備条項を記しています。

1、将来の戦争への秘密留保と共に締結された平和条約は、平和条約と見なされるべきではない

★ イマヌエル・カント
本書三四頁の脚注を参照。

2、独立して存続しているいかなる国家（大小を問わず）は、他の国家によって相続、交換、買収、あるいは贈与によって獲得されうるべきではない

3、常備軍は時と共に廃止されるべきである。

4、国家の対外紛争に関してはいかなる国債も発行されるべきではない。

5、いかなる国家も他国の体制や統治に暴力的に干渉すべきではない。

6、いかなる国家も他国との戦争に際し、将来の平和における相互信頼を不可能にしてしまうに違いない敵対行為を許容すべきではない。すなわち暗殺者や毒殺者の任用、降伏協定破棄、戦争相手国内での裏切りの教唆などである。

1は現代の国際関係で言うCBM（Confidence-building Measures、信頼醸成措置）ですね。要するに自分の方の軍備を隠した状態で結んだ条約は意味がなく、お互いに手の内を曝さないと本当の講和条約にならないという考えです。

2ですが、この時代には国家を君主の財産と見る考えがあって、住民の事情など関係なく、縁戚関係にある他所の君主に相続されたり、勝手に交換されたり買収されたりします。ナポレオン★の生まれたコルシカも、ジェノヴァからフランスに売却されました。

★ナポレオン・ボナパルト 一七六九〜一八二一。フランス革命期の皇帝、軍人、革命家。一八〇四年に即位してナポレオン一世。

3の常備軍が創設されるようになったのは、近代に入ってからです。フランスでは百年戦争★のときに一度常備軍が創設されますが、戦争が終わったら解散になりました。本格的な常備軍は、一七世紀の絶対王政の時代です。常備軍はマキャヴェッリが理想としていたものですが、それが戦争へのハードルを下げてしまうわけです。

4は一番意外ですが、さほど経済学の素養がなくても理解できますね。戦争のための国債を発行すると、償還するために相手に勝つ、しかも単に勝つだけでなく、国債を返せるだけの戦利品を獲得できるまで闘い続けることになってしまいます。それに、国債を出せるとなると、現実の国力を超えた軍備拡大に走ろうとする欲求が生じますし、国債の引き受け手が政治に強い発言権を持ち、国論を誘導するようになる恐れがあります。

5は内政干渉禁止ですね。6のようなことは、国際政治の裏舞台でいかにも行なわれていそうですが、これらを実行すると遺恨が残って、次の争いに繋がるのでやるべきではない。

これらを準備したうえで、では最終的に何をすべきかというと、以下の三つの確定条項を挙げています。

★ 百年戦争
一三三七年〜一四五三フランス国内のイギリス領土やフランスの王位継承をめぐってイギリスとの間で行なわれた戦争。

1、各国家における市民的体制は共和的であるべきだ。
2、国際法は自由な諸国家の連合の上に基礎付けられるべきである。(世界共和国ではなく国際連盟 Völkerbund)
3、他人の土地に足を踏み入れたという理由だけで、その国の人間から敵対的に扱われない外国人の権利。(友好・訪問権)

1の「市民的体制」というのは政治体制のことです。「共和的」というのは、自由で平等な市民たちの合意に基づいて政治が行なわれているということです。君主の一元的支配体制だと、君主の一存で戦争を始めてしまうことがあるけれど、共和主義的体制だと、市民たちがいろんな角度の意見を述べ合うことになるので、戦争になりにくいわけです。2は、1の国内体制を国際関係のレベルで再現したものです。ただし、その連合を一つの国家にすることについては、カントは懐疑的です。サン＝ピエールや後のロールズのように、各国の市民たちが自らの意志で自国の主権に拘り、自治を行なうことに固執している以上、それを無視して世界共和国を創設することはできないという立場です。ここでカントは、諸国家の連合を意味する言葉として、Völkerbund という単語を使っていますが、これは後にウィルソン★の提唱によって作られた「国際連盟」のドイツ語名です。単なる訳

★ トーマス・ウッドロウ・ウィルソン

語の問題ではなく、ウィルソンの構想にカントが影響を与えたのではないか、と指摘する政治哲学者は少なくありません。

最後の3がちょっと異質な感じがしますが、要は、人類は地球の表面を共有しながら生きているので、各国の国内統治と国境管理は各主権国家が担当すべきだけれども、外国人はやむなく訪れることもあるから、そういうときは同じ世界の市民として遇すべきである、ということです。その訪問権と、その人が必要な期間だけ滞在できるよう計らうホスピタリティが国際平和の基礎として重要だと言っています。デリダなど、難民問題を論じている現代の哲学者は、このカントの議論を参照します。カントは現代のリベラルの議論に大きな影響を与えていますが、国際的正義に関しても、さきほど述べたロールズの『万民の法』のように、『永遠平和のために』の影響を受けた議論は多いです。

世界内戦化の時代

一九九〇年の冷戦崩壊のあと、戦争をめぐる哲学的議論の様相も大きく変わりました。一九八九年にベルリンの壁が崩壊する数カ月前に、フランシス・フクヤ

一八五六〜一九二四。アメリカの政治家、政治学者。第二八代大統領。「行政学の父」。

マ★は『歴史の終焉』という著作で、世界史は最終的には自由民主主義陣営の勝利によって終わるだろうと述べています。人類は大きな争いをやめて文化的な状態に入っていくであろうと予想しました。

しかし、九〇年代に入ってまず湾岸危機・湾岸戦争があって、それに旧ユーゴスラビア内戦が続きます。また、旧ソ連でも、ロシアからの独立を求める人びと、ロシア本体、あるいは、ロシア系の住民の間で内戦、武力紛争がありました。湾岸戦争の余波でアフガニスタン戦争とイラク戦争がありました。冷戦時代は巨大な軍事力で拮抗する親分同士がにらみ合っていて、小競り合いはあったけれど、エスカレートして最終手段である核兵器に訴えることになると、お互いに失うものが大きすぎるので、親分たちが子分の暴走を抑えていたため、本格的な戦争はなかなかできなかった。

冷戦構造が崩壊したことで、その均衡が破れ、地域紛争が勃発しやすくなりました。ソ連が押さえていた社会主義国系の国での紛争は抑えが効かなくなり、それが世界中の民族紛争を刺激するようになりました。そのため、アメリカが自分だけの判断で世界各地の地域紛争に介入するようになりましたが、そのやり方が一方的で傲慢に見えたのと、アメリカ主導のグローバリゼーションが本格化して、経済格差が拡大したことで、アメリカに対する反感がどんどん強まり、介入すれ

★ フランシス・ヨシヒロ・フクヤマ
一九五二年生。アメリカの元国務省スタッフ、政治学者。主な著作に『歴史の終焉』『人間の終わり』など。

ばするほど、問題が大きくなるという悪循環が生じました。グローバリゼーションと共に世界を一つの法秩序に包摂しつつある「帝国」が出現しつつあることを指摘した『〈帝国〉』で知られるネグリ★とハート★は、その続篇『マルチチュード』で、それらの紛争を、「帝国」内の「内戦」あるいは「世界内戦」と呼んでいます。イギリスの一七世紀の市民革命や南北戦争を、「内戦 civil war」と言いますが、国内の戦争ということですね。アメリカが文字通り、世界の警察官になって、世界秩序や国際的正義を旗印にして、国内で犯罪者や反逆者を取り締まるように鎮圧しようとするようになった、というわけです。世界国家を作るとかえって危ないというルソーやカントの懸念が部分的に実現しつつあるように見えました。アメリカはそれほど強いわけではないことも判明しましたが。

人道的介入は許されるのか

旧ユーゴ内戦以降、国際紛争を解決する際の「人道的介入」をどう評価するかが一時期話題になりました。日本の左派には表向き絶対平和主義の人が多かった

★アントニオ・ネグリ
一九三三年生。イタリアの思想家、政治活動家。主な著作に『構成的権力』『野生のアノマリー』、マイケル・ハートとの共著に『〈帝国〉』『マルチチュード』など。

★マイケル・ハート
一九六〇年生。アメリカの哲学者、比較文学者、政治経済学者。

けど、この時期のリベラル左派の中には、容認する議論をする人もいました。そうなると、NATOがコソボ紛争でセルビア側を空爆したことを正当化できるのかという議論になります。

正当化する側は、その国にいる弱者、この場合はアルバニア人を虐殺から守るためだと言います。コソボのセルビア人武装勢力を支援するセルビア本体に打撃を与えないと、やめそうにはない。しかし空爆すると非戦闘員にも被害を与えます。自分たちの兵士は直接傷つかない空爆はずるいという見方もあります。では、地上軍による戦闘を行なって、アメリカ側にも犠牲が出るようにすればいいのか。それはそれでおかしい感じがしますね。日本の憲法九条が世界に誇る絶対的価値を持っていると思っている人はそういう議論をすること自体がけしからんと言いそうですが、では戦闘をどうやって止めるのか。完全に止めようとする必要はない、食糧や医療などの人道援助の提供に必要な最小限の範囲での戦闘停止へと相手を説得すればいい立場を取るにしても、いくら説得しても止めてくれない相手だったらどうするのか。

当時私は新左翼系の人とお付き合いが多かったのですが、やはり意見が分かれていて、アメリカの今のやり方はおかしいが、非戦闘員を保護するため人道的介入自体はある程度認めるべきという人たちと、いや、あれは古代からあった部族間の紛争のようなものだから、基本的に放っておいた方が良い、アメリカが介入すると拡大するだけだと言っている人がいました。実際、中東やアフリカで起こっている地域紛争の多くは、西欧諸国の植民地支配に大本《おおもと》の原因があります。独立した後も、アメリカなどが軍事政権や独裁者に加担したことで、問題がさらに悪化する。そこにアメリカが介入すれば、火に油を注ぐことになる。

確かに普通の個人間の紛争では、原因を作った人が、第三者的な裁判官や警察官のような顔をして仲裁役を買って出たら、何を恥知らずな、偉そうな顔をする前に反省しろ、ということになるでしょう。しかし、国家間の戦争の場合、放っておくとどんどん人が死にますし、原因を作った大国でないと、仲裁役として実力を発揮できない、というジレンマがあります。

ペーター・ハントケのセルビア擁護をめぐって

今年（二〇一九年）、オーストリアのペーター・ハントケ★という作家がノーベル文学賞を受賞したとき、ヨーロッパの知識人たちがこれは問題だと騒ぎました。ハントケは、旧ユーゴ内戦時に、セルビア国内の比較的平和な地域を旅し、その

★ ペーター・ハントケ　一九四二年生。オーストリア出身の作家。二〇一九年、ノーベル文学賞受賞。主な著作に『カスパー』『空爆下のユーゴスラビアで』、映画『ベルリン・天使の詩』の脚本など。

印象を綴りながら、西側諸国の人たちはセルビア人が非道で好戦的だと思っているけれど、本当はセルビア人も自分たちの生活を守りたいだけなんだ、なぜセルビアばかりが悪者になるんだ、と擁護する本を出したんですね。彼がセルビアを旅行したのは、さきほどお話ししたコソボ紛争の三〜四年前のボスニア・ヘルツェゴヴィナ紛争時のことで、このときNATOはセルビア本国ではなく、セルビアに支援されて、民族浄化を実行していたセルビア人武装勢力に対して空爆をかけています。

セルビア以外の旧ユーゴの人だけでなく、ヨーロッパ中の知識人たちがハントケの受賞を疑問視しています。一九九六年にその本が刊行されて物議をかもしていたとき、日本の左派は何が起こっているのかよく分かっていなかったと思います。日本の左翼はアメリカに攻められた側を被害者＝味方と見る傾向があるので、東欧に詳しい人以外は、アメリカの犠牲者であるセルビアを擁護したのに、なんでドイツやオーストリア、英米の左派知識人から批判されるのか、という感じではなかったかと思います。どっちに肩入れしたらアメリカの帝国主義に反対したことになるのか、くらいにしか考えなかったかもしれません。今となっては旧ユーゴ紛争で、誰と誰が争ったかさえ分からなくなっている人がほとんどだと思いますが。

クロアチアとスロヴェニアは、もともとオーストリア・ハンガリー帝国領だったので、クロアチア人やスロヴェニア人はドイツやオーストリアと繋がりが深く、ドイツに住んでいる人、ドイツ語を話す人も多い。それに比べると、セルビアの本体は、オーストリア・ハンガリーに組み込まれていなかったし、世界史の教科書にあるように、セルビア人の多いボスニア・ヘルツェゴヴィナの帰属をめぐってオーストリアとセルビアは争っていて、オーストリアの皇太子がセルビア人の若者に暗殺されたのが第一次大戦のきっかけになりました。そういうことがあって、セルビアとドイツ系の人たちの間には距離があるんですね。

戦争が始まると、ヨーロッパやアメリカのメディアは、残虐な事件が発覚するたびにセルビアの残虐性を際立たせ、セルビアが悪の根源であり、ナチスの再来である、と協調しました。そこでハントケが、旅行記にあわせて、一方的にセルビアを糾弾するのは不正ではないかと主張し、彼を味方だと思っていた左派知識人に徹底的に叩かれたんです。私は当時ドイツに留学していたので、「セルビア」に対する味方が日本と全然違うのが意外だと感じました。

セルビア人とそれ以外の旧ユーゴ人が見かけ上大きく違うわけではないし、セルビア語とクロアチア語やスロヴェニア語は方言同士くらいにしか違わないと言われていますが、現に「ホロコースト」が起こっています。当時のミロシェビッチ大統領★が国際刑事裁判所で、「人道に対する罪」について有罪との判決を受けています。「人道に対する罪」は、ナチスのユダヤ人虐殺を受けて戦後に設定された国際法上の犯罪で、ある民族や宗教などに属する集団を、計画的に絶滅させようとしたことに対して認定されます。自国内の自国民に対する迫害であっても、関係なく適用されます。これと国際法違反の戦争を引き起こしたことに対する「平和に対する罪」が設定されたのは、国際法の大転換だったとされます。それまでの国際法はもっぱら国家間関係を定めるものだったので、負けた方が領土の割譲や賠償することを強いられるということはありましたが、個人が国際法違反の犯罪者扱いされることはありませんでした。ただ、これらの「罪」で有罪判決を出すことができるようになったとしても、戦争に勝たないと、裁判を受けさせることも、刑に服させることもできません。

正戦論の復権

この講義でも何度か言及した、カール・シュミット★というヴァイマル時代の悪名高い政治哲学者がいます。彼は『政治的なものの概念』という著作の中で、政

★ スロボダン・ミロシェビッチ
一九四一～二〇〇六。セルビアの政治家。セルビア共和国大統領、ユーゴスラビア連邦共和国大統領などを歴任。戦争犯罪や独裁で知られる。「人道に対する罪」で起訴され、収監中に没した。

★ カール・シュミット
本書一〇四頁の脚注を参照

治の本質は「友」と「敵」を区別することだと言っています。これは戦争を連想させますね。しかし、シュミットに言わせれば、ヴェルサイユ体制や国際連盟はヒューマニティの名の下に友／敵の分裂を乗り越え、戦争をなくそうとしているけれど、実際には、人類の名を騙るどこかの国が、非人類的な存在を一方的に抑圧しているだけなのではないか、と指摘しているんですね。これはネグリたちの世界内戦論に通じる議論ですね。ネグリたちが「帝国」に対抗する「マルチチュード（群衆＝多様性）」に期待を寄せ、真のグローバリゼーションに期待するのに対し、シュミットは国家単位での「友／敵」対立の必然性を強調し、人類共同体に向けての構想を拒絶するわけですが。

この本は一九三二年に刊行されているのでナチス政権が成立する少し前ですが、当時のドイツはヴェルサイユ体制によっての領土の一三パーセントを奪われたうえ、膨大な賠償金を課され、ルール地方がフランス軍に占領されるなど、人類の普遍的正義の名の下にドイツ人民が苦しめられていました。第二次大戦後とは違ってドイツがホロコーストのような特別なことをやったわけでもない。戦勝国の国益のためではないか。やはり国家間関係の本質は、友／敵なのではないか、とシュミットが考えても、それほどおかしくない状況でした。

第二次大戦後に出版された『大地のノモス』という著作では、グロティウスの時代のことを論じています。一七世紀のヨーロッパにはヨーロッパ公法秩序というべきものが成立していて、ヨーロッパの主要国は地理的・歴史的・文化的・軍事的条件に基づいてお互いの存在すべき空間を大筋で認め合っていて、均衡が保たれていました。戦争はあったとはいえ、騎士道のように闘い方が様式化されていて、勝負が決まったら、スポーツの勝者が賞品を受けとるように、勝者が一定の利益を得ていた。ヨーロッパの外では、激しい植民地争奪戦を繰り広げても、本国同士の均衡が大きく崩れることはなかった。しかし第一次大戦前後、国際連盟・国際連合を始め、世界全体を一元的に管理しようとする国際的システムの登場と、戦争の仕方が変わったことで、ヨーロッパの空間秩序も変容を余儀なくされました。さきほどお話ししたように、国連に結集した「人類」は、すべての戦争を悪と見なし、戦争を始めたものを犯罪人として処罰しようとするので、余計に暴力のポテンシャルが高まりました。また、それまでの海戦では、商船を拿捕する時の規則が重要だったのですが、潜水艦の登場で状況が一変します。また、大砲の射程距離と破壊力が飛躍的に伸びたことで、領海を従来のように三海里のままにしておいていいのか、という議論がなされるようになりました。さらに空軍の登場で空爆が可能になり、ミサイルによって、何百キロも離れたところから狙われるか分からなくなると、地球全体が戦場のようになり、民間人だからといって攻撃の対象から外してもらえるとは期待できなくなります。国民総動員による絶滅戦争の可能性が高まります。

「戦争は他の手段による政治の延長である」というフレーズで有名なクラウゼヴィッツ★は、相手を殲滅する「絶対戦争 der absolute Krieg」は理屈ではありえても現実にはないと言っていましたが、そうは言っていられなくなりました。一七世紀前後の武器の水準や国民の動員力を基準に考えると、お互いのすべてを破壊するまで戦争を続けるのは無理だったので、陸上での傭兵を主とする戦闘で考えられる限りのことを規制するルールがあればよかったのですが、科学技術の発展と国家の機能の高まりによって、現実がそれを超えてしまったということです。

コミュニタリアン左派のマイケル・ウォルツァー★が、一九七七年に正戦論『正しい戦争と不正な戦争』を出版しています。グロティウス以来国際法の基礎になっていた「正戦 just war」の条件を哲学的に問い直す、というものです。戦争を行なう権利があるとすればそれはどういうときか、戦争中に守るべきルールは何か、現代的な視点で改めて考えようというわけです。グロティウスの時代とは、捕虜や非戦闘員の扱い等に関して、戦争中にやっていいことの基準は変わっているので、そこにはどういう原理が働いているのかという考察も含まれます。なんでそういうことを考えたのかというと、当時、ヴェトナム戦争敗戦直後のアメリ

★ カール・フォン・クラウゼヴィッツ 一七八〇～一八三一。プロイセン王国の軍人。軍事学者。主な著作に『戦争論』など。

★ マイケル・ウォルツァー 本書一一三頁の脚注を参照。

カの左派知識人の間では、戦争に関わること自体が絶対悪であり、どういう場合に自分の方から手を出すことが許されるかとか、正しい戦争のやり方とか考えること自体おかしいというような、日本の九条護憲派みたいな論調が強まっていたので、それではかえって危ないのではないか、戦争をちゃんと管理することを考え方がいい、というシュミットに繋がる問題意識があったようです。

二〇〇一年の九・一一の少しあと、アフガニスタン戦争が進行していた時期に、彼を中心に著名なアメリカ知識人たちがイスラム世界の人たち向けに、「私たちは何のために闘っている What we are fighting for?」と題した公開書簡を出し、自分たちはあなたたちを敵視しているわけではないとしながらも、アル・カーイダ★に対するアメリカを中心とした有志連合軍の戦争を「正戦」の視点から正当化しました。フランシス・フクヤマやコミュニタリアンの哲学者アミタイ・エツィオーニ★のような保守系の人のほか、ソーシャル・キャピタル論で有名なロバート・パットナム★や貧困問題の研究者で民主党の上院議員にもなったダニエル・パトリック・モイニハン★、革命についての歴史社会学的研究で知られるシーダ・スコチポル★なども署名していました。当然、左派の間では大きな議論になりました。そのときに彼の正戦論が再び注目されることになりました。

さきほどお話ししたように、ロールズもすでに「正戦」を前提に「万民の法」

★ アル・カーイダ
イスラム主義を掲げる国際テロ組織。アフガン戦争下のソ連への抵抗運動として生まれ、二〇〇一年のアメリカ同時多発テロなど、数々のテロを実行している。

★ アミタイ・エツィオーニ
一九二九年生。アメリカの社会学者、コミュニタリアン。主な著作に『新しい黄金律』など。

★ ロバート・パットナム
一九四〇年生。アメリカの政治学者、主な著作に『孤独なボウリング』など。

★ ダニエル・パトリック・モイニハン
一九二七〜二〇〇三。アメリカの政治家、社会学者。主な著作に『政治家は、未来を告げる声を聞く』など。

★ シーダ・スコチポル

を論じていたわけですから、今では、リベラル系の人でも正戦について考察するのはそれほど珍しいことではなくなっています。

一九四七年生。アメリカの社会学者、政治学者。主な著作に『失われた民主主義』など。

戦争機械論をめぐって

「正戦論」は、人間は戦争をする場合でも、自らの理性によって制御できるという前提に立っていますが、現代思想には、「戦争」という現象が理性の制御を超えたもの、ある意味、人間の暴力的な本性に対応するものだとする議論もあります。最も典型的なのが、ドゥルーズ＋ガタリ★が論じている「戦争機械」論なので、これについて少しお話ししておきましょう。

★ドゥルーズ＋ガタリ
本書五九頁の脚注を参照。

ドゥルーズたちは、「人間」を一つの完全な統合体ではなく、自動的に運動するさまざまな「機械」の集積にすぎないと見ています。ある種の音と映像の組み合わせに接すると、顔の向きを変える、そこで出会うＴＶやYoutubeなどの動画によって満足すると、同じ動きを繰り返す。体のどこかに触られると、性器が興奮し、その性器を他の人間、あるいは自分の身体のどこかの部位に当てると、欲望が充足され、またそのパターンを繰り返す。何かを匂いを嗅ぐと、食べ物があると予感して、探し、それを実際口にすると……というような運動のユニットが「機械」です。体の各部位はいろんな「機械」の異なった役割を果たす部品として機能している感じですね。PCが人体だとして、PCの中で作動している各ソフト、アプリが「機械」だと考えると分かりやすいでしょう。PCが機能するのに必須のものも、削除できるものもある。たいしてメモリーを占領しない軽いアプリに見えても、それがDLされると必須のソフトの動作を妨害することもある。この講義の第七回、第八回で少しお話しした「器官なき身体」というのは、そうしたさまざまなアプリの集積としての私たちの身体（PC）だと思えばいいでしょう。

この例の延長で説明すると、PCは外部装置と連動して動作することがありますね。私たちの身体も自転車に乗る、自動車を運転する、PCを操作する、というように、外部の、文字通りの意味での機械や道具と一体になって、「機械」的な動作を繰り返すことがあります。服や靴もそういう外部に拡張された「機械」と見ることができます。そして、PC同士がインターネットとかケーブルを通じて、一つの「機械」として動作することがありますね。家族や会社、国家、資本主義などもそういう社会的な「機械」です。小さいユニットの社会的な「機械」が合わさって大きな「機械」を構成していることが多いのですが、「戦争機械」

もそうした「機械」の一種です。

ただし、近代国家の一部として不可避的に生まれてきた部分機械ではなく、遊牧民（ノマド）的な生活形態に対応して生まれてきた「機械」です。特定の動物の群れを家畜として囲い込んで餌のある所に連れていき、そこで一定期間、家畜たちに必要な栄養を取らせると、隊列を組んで家畜と共に決まった方向に移動していく。違う人間の集団や個人に遭遇した場合、相手が敵対すれば闘って抹殺するが、服従するようであれば、自分たちの「機械」に取り込んで進んでいく。現実の遊牧民は高度な騎馬の技法を発展させ、武器製造の技術にすぐれ、秩序立った隊列を組んで、すごい速度で広い空間を横切っていくので、定住民たちの帝国を破壊し、自分たちの勢力圏を広げていったようです。軍事的に秩序立っているように見える一方で絶えず移動するので、多様な人種や地域の人と遭遇して「機械」を大きくしたり、分裂したりし、技術的な意味での「機械」を新たに取り込むごとに形を変える。ＰＣがネットでの情報交換を通じて自分を改造したり、他のＰＣとの連携を強化したりして、機能性を高めたり、複数のＰＣに機能的に分化したりするようなイメージで考えればいいかもしれません。すべての社会的機械が相互作用しているわけですが、「戦争機械」は戦闘を中心とした機能性と、相手や場所による自己変容可能性の双方を特徴としている点で際立っている。

ドゥルーズ＋ガタリに由来する「ノマド」というのは、そうした「戦争機械」になりきる生き方と言えますが、ジャーナリズムでは、後者の変容可能性の側面だけが強調されがちですね。

定住者たちの国家は、こうした「戦争機械」の脅威に晒され、防衛策を講じているうちに軍隊という形で自分の内に取り込むようになった、というのが『ミル・プラトー』などでのドゥルーズたちの議論の核心部です。「戦争機械」の機能性だけを利用しようとしたわけです。広大な領土と人民を支配し、農地や市場を押さえている帝国は、軍隊を巨大化し、領土拡張や富の確保などの目的実現のために活用できます。しかし、基本的なOSと相性の悪いアプリをDLして重宝していると、急に不具合を起こすことがありますね。軍隊の本質は、定住文化とは相いれない「戦争機械」なので、国家は軍隊による戦争に頼りすぎると「戦争機械」に内在する秩序を破壊し、走り続けようとする傾向を抑え切れなくなります。ドゥルーズ＋ガタリ、ネグリ＋ハートは、現代の資本主義国家は自分たちがコントロールしていると思っている「戦争機械」に引きずられ、「絶対戦争」へ引っ張られていく可能性がある、と示唆します。ただ、そういうことを言うと戦争を待望しているように聞こえるので、現代思想をやっていてドゥルーズたちに詳しいはずの左派の人たちはあまり強調しないようですが（笑）。

左派知識人の多くは国家が嫌いなので、国家に組織化されていない小規模な暴力は容認する傾向があるのではないかと私は見ています。場合によってはテロに至るまで過激化した反体制運動に対して、それは追い詰められて致し方なくそうなったのだ、彼らを責めると国家権力や大資本の思惑通りだ、という話になる。ヤクザとか常習的犯罪者、不良少年グループ等についても、そうなった社会的背景に言及し、非難されないよう擁護する。アフリカや東欧、中央アジア、南アジアの民族紛争については、さきほどのように、昔からそういうものはあったという。バタイユとかドゥルーズ＋ガタリの議論は、そういう非国家・非資本暴力容認論にとって都合がよい（笑）。

ただ、戦争機械的な暴力、あるいは、聖なる暴力のようなものが実在するのか、それがどのようにテロとか犯罪に繋がるのかという暴力の根源論とは別に、現に拡大し、被害者を増やしている暴力をどう抑止するか、という問題があります。校内暴力のようなものでさえ、とにかく話し合いで解決すべきだと言って時間をかけているうちに、犠牲者が出ることがある。どんな人格者の先生が頑張って説得を試みても、決まった時間内には解決不可能なケースがあります。ユーゴ内戦のような場合は、それがかなり大規模になるわけです。では、そこでどうするかという問題です。

最近では明確に犯罪なら学校に警察が介入することを認めるリベラル系の人も増えているようです。では、地域紛争もそれでいいではないか、というとそうはならない。むろん、校内暴力と地域紛争では違うと言って、どこが違うのかポイントをいくつも挙げることはできます。でも、それらは地域紛争をより大きな暴力を持った軍で止めてはならないという論拠になるのか。逆の論拠になるものもあるのではないのか。

人間の本性に暴力への志向が潜んでいて、集団の中でそれが増幅するとしたら、どうしたらいいのか。これは哲学的に考えるべき問題でありますが、哲学だけで解決できる話ではないと思います。

会場から

——根本的というか単純な質問ですが、戦争は最終的になくならないのでしょうか。武器が増えれば戦争も増えるので、武器を少なくすることができれば、戦争も減るのではないかと思うのですが。

核兵器とかミサイルによる戦争に限定して考えるのであれば、当該の兵器を減らす条約を結び、相互監視によって実効性を担保するということはできるでしょうが、兵器の種類や概念が時代と共に変化しているので、戦争の手段になりそうなすべての兵器をカバーすることはできないでしょう。近未来SFにあるように、サイバー攻撃で発電、交通、ライフラインに関するインフラを操作できるようになれば、小型ミサイルやロケット砲によるものより、人的被害が大きくなるかもしれません。アーキテクチャで人間の行動パターンを操れるようになったら、どういう被害が出るか予想できません。

従来の大量破壊兵器は開発・建設・維持にかなりの資源、人員、土地を必要とするので、大国で、しかも国民の団結力が強い国でないと無理だったのですが、現在では、グローバルな企業がその気になったら独自開発できないこともないかもしれない。アメリカでは占領地の警備やロジスティックス、場合によっては作戦計画まで、かなりの部分がアウトソーシングされているそうなので、SFでよくあるように、企業主導の戦争がそのうち起こるかもしれません。サイバー攻撃で相手の兵器システムやインフラを乗っ取ることが可能になれば、個人にだって戦争ができるようになるでしょう。

実力で多くの他人を支配したいという欲求とそれを実現するための科学技術がある限り、現在あるような種類の武器が減っても、「国家」という存在が相対化しても、危険はなくならないでしょう。


――国連職員から横浜市立大学の先生になった上村雄彦★さんから、世界連邦という考えについて聞いたことがあります。たとえば環境問題のようにネイションを超える問題についてはグローバルタックスを課す必要がありますが、お金が集まると使い方を考えないといけない。そこで、政府職員が派遣される

★ 上村雄彦
一九六五年生。政治学者。主な著作に『グローバル・タックスの可能性』など。

国連のような形ではなく、決定権をもったユーロ会議みたいに国の代議員を送り込む世界連邦を作って、国は国としてあるけれども、一部の条件は世界連邦に委任するという運動をしているそうです。この世界連邦のような考えが、戦争に至る契機を減らすための、現実的な方法ではないでしょうか。

EUのような感じで世界連邦を作るという考え方は魅力的です。経済的な相互依存関係ができ、人的なつながりが強まれば戦争をしにくくなるというのは確かにそうだと思います。しかし、そのためには連邦に参加する予定の国が、一九六〇年代のEC（ヨーロッパ共同体）の当初メンバー国くらいに文化的に同質的で、相互に武力を行使する可能性が低くなっていないといけません。EC－EUの場合は、安全保障は域外メンバーであるアメリカに依存することができたけれど、世界連邦の場合は強い国のいくつかを外してしまうと、かえってカントやシュミットが懸念していたような意味で軍事的対立を煽ってしまうでしょう。少なくともアメリカ、EU、中国、インド、ロシアくらいは最初からフル参加していないと逆効果ですね。しかも、イギリスのEUを離脱問題に見られるように、各国内に世界連邦の官僚に搾取されていると思う人が増えたら、離脱が相次ぐことになるでしょう。客観的に得か損かという話ではすみません。国民としてのプライドを傷つけられたと国民が思い始めたら、どうしようもありません。国内が民主主義的に統治されている以上、そういう可能性は排除できません。イギリスはEU諸国やアメリカとの関係が深いので、離脱したからといって武力紛争が起こることはそう簡単にはないでしょうが、少し前まで隣国と戦争していた国が、世界連邦に加盟した直後に離脱ということになると、どうなるか分かりません。

――最近、イスラム国★のように国家ではない勢力と国家との戦争も多く見られますが、正戦論や戦争法なんかは、イスラム国などのテロ組織には通用しないですよね。こういう時代にどう戦争を捉え直すのがよいのでしょうか。

カール・シュミットが言っているように、戦争に関するルールの体系としての国際法はヨーロッパ空間の中での均衡状態から生まれてきたもので、それを非西欧社会に丸ごと受け入れさせること自体が無理なのかもしれません。特に相手がイスラム国やアル・カーイダのように、人民や領土を確定して管理しているわけではないのに武力だけは持っている相手と闘う場合、ヨーロッパの地続きの隣国同士の交戦規則から生まれたものを適用するのは難しいでしょう。

では、ネグリたちがアイロニカルに言っているように、完全な世界帝国あるい

★ イスラム国
イラクとシリアにまたがる地域を拠点としたイスラム過激派グループ。「イスラム国」を自称している。

は世界共和国――古代ローマは共和政のまま多くの民族を支配する「帝国」へと移行しました――を作って「警察」的な介入をすればいいのかと言うと、公然とそれをやれば、それに強く反発する人たちが、アル・カーイダのような組織をどんどん作るでしょう。現実的なのは、ロールズの「万民の法」のようにリベラルな国家の共通の正義の原理を再確認したうえで、自由民主主義に近い穏健な宗教国家に協力してもらい、アル・カーイダやイスラム国のようなものを想定して「正戦」を再定義することしかできないでしょう。西側の国が「正戦」を一方的に押し付ける形になることだけは避けるべきでしょう。

――かつては第二インターナショナルや第三インター、あるいはコミンテルン★など、ソ連を中心として世界を変えようとするグループがありましたよね。レーニン★やスターリン★が良いのか悪いのかはともかく、国際連盟や国際連合ではなく、働く人や一般市民を世界的に連帯させるにはどうすればよいでしょう。

ネグリとハートの『マルチチュード』はまさにそういう議論です。アメリカを中心にできあがった「帝国」は、人民の権利擁護のためにも使える法制度や、イ

★ インターナショナル、コミンテルン
第一インターナショナルは一八六四年に結成されたヨーロッパの社会主義者による国際政治結社。以後、再編されて第二インターナショナルが誕生し、第三インターナショナルはコミンテルン（共産主義インターナショナルの略称）と呼ばれた。

★ ウラジミール・レーニン
一八七〇～一九二四。ロシアおよびソ連の革命家、政治家、哲学者。ロシア革命を指導し、世界で初めて共産主義国家を樹立した。

★ ヨシフ・スターリン
一八七九～一九五三。ソ連の政治家、軍人。ソ連共産党中央委員会書記長として権力を掌握すると、反対派の大粛清などによって独裁を維持した。

ンターネットなど高度な技術による、グローバルな通信・交通設備などを整備するので、各国のマルチチュードはそれらのインフラを利用して連帯し、反逆を組織できる、というわけです。マルクス★の時代には、狭い意味での労働者、工場労働者にしか連帯を呼びかけられなかったし、階級意識を持ち得なかった。現代では、労働の形態が多様化し、管理する側もいろんな職種や給与体系があるので、「同じ労働者」とか、対「資本家」という意識は希薄になっているけれど、その代わり、グローバルな情報網によって、お互いの状況について共感し合える可能性が高まっている、というわけです。

ただ、それによって、本当に全世界の貧しい人が、一つの利益共同体を形成できるでしょうか。たとえば日本とフィリピンを比べると、日本でかなり貧しいとされる人でもフィリピンの貧民街にいる人に比べれば、結構豊かに見えるということがありますね。さきほどのグローバルな格差原理の話のように、富のグローバルな再分配ということで、日本の貧困層の福祉に充当させる予定だった予算を、フィリピンの貧民街のインフラ整備、雇用創出のために使うと言ったら、日本の貧困層はどう言うでしょうか。日本の富裕層に課税すればいい、いや、それで日本の経済成長が止まったらどうするんだ、という話になる。おそらく途中でうやむやになって、ロールズの言う援助義務のような曖昧なことになるでしょう。

★ カール・マルクス
本書三三頁の脚注を参照。

私が学生の頃なら、親の年収が五〇〇万円代前半であればほぼ間違いなく国立大学の授業料を全額免除してもらえましたが、今なら厳しいかもしれません。大学の予算が少なくなっているからです。その代わり、インドネシアやヴェトナムから留学生を招くために相当のお金を使っています。彼らのほとんどは貧困層ではなく、国のエリートです。金沢大学にはイスラム圏の学生のための prayer room があります。在籍者が多い理工系だけでなく、それほど大勢いるわけでもない文系の建物にもあります。一方で学生が新しいサークルを作ろうと申請しても、そのための部屋は絶対に供給されません。これが大学や国の方針として正しいのかというと、なかなか難しい。『丸山眞男』をひっぱたきたい」にも通じる問題ですが、日本の貧しくて大学に通えるかどうか微妙な若者と、聞いたこともない外国の飢えて死にかけている子の、どちらを再分配の対象として優先すべきか。赤木氏は、日本の左翼は世界の飢えた子のことはものすごく心配しているのに、生活が苦しい日本の若者のことは本気で心配しない、だったら戦争をやって国民最優先の政治になった方が、自分のような者にはありがたい、と挑発したわけです。それに対して代表的な左派の知識人たちは、君は敵を間違えている、戦争の悲惨さを知らない、と予想通りの反応をしました。

そういうことを考えると、貧困層同士、労働者同士が連帯すると言っても、再分配の正義のようなところにまで話を持っていくのは、困難だということが分かります。マルチチュードとしてグローバリゼーションに抵抗すると言っても、すべての経済・文化交流を停止するわけにはいきません。A国の失業中の貧しい人にとっては、多国籍企業Xの工場が移転してくることは雇用創出という面で望ましいが、その工場がもともとあったB国の人にとっては雇用が減るので困ります。ではその工場の環境への影響は、A国でその産業と直接関係のない人、A国と経済的結び付きの強い隣国Cの人にとってはどうか。革命家が、「いや、世界連邦を作ってグローバル経済を根本的に転換するのだ」と言っても、当面の利害対立が、死活問題である人たちにとっては机上の空論でしかないでしょう。

第二インターナショナルがなぜ潰れたかというと、第一次世界大戦の勃発寸前になって、各国の社会主義政党がナショナリズムに走り出したからです。第三インターナショナルはご存じのようにソ連の傀儡で、ロシア・ナショナリズムに支配されていたと言えます。失う祖国がないはずの世界の民衆が急にネイションの利益に目覚めることがあるので、なかなか楽観的にはなれません。

――戦争がなくなるかなくならないかというと、私はなくならないと思います。というのも、致命的な利害が生じるところでは譲歩できないからです。これは人間社会の問題というより、生物的な宿命の問題だと思うので、それを無理やりなくそうと思う必要はないのではないでしょうか。その事実を認めず、感情論で話を進めてしまう風潮があるせいで、問題をさらに大きくしているような気もします。感情論自体が逆効果で、それが戦争を惹起している側面もあるのではありませんか。グロティウスの時代から戦争があって然るべきだとされ、むしろ権利だとすら言われてきたわけですよね。古い考えだから間違っていて、現在の方が正しいというわけでもないと思っています。

私もそう思います。「戦争への正当な権利」があり得ると主張することが即戦争それ自体を引き起こすことになるかと言えば、決してそうではありません。それはどんな場合でも好き勝手に戦争を始めていい〝権利〟ではありません。現時点で戦争を始める条件が充たされているかどうかについて、常に議論の余地があります。そういう権利が生じ得るという前提で考えると、お互いに対する牽制になるでしょうし、当事国は、自分の方が戦争を仕掛けられても仕方ない状況を作り出した責任を負わされて、国際的に非難されないように注意するでしょう。そんなこと気にしない国もいるでしょうが、少なくとも、欧米諸国は気にしますし、中国だってまったく知らん顔しているわけではない。

第一次世界大戦後にドイツでナチスの勢力が大きくなったのは、人類の平和の名の下に一切の抵抗を封じられたからだとも言えます。シュミットは、だから政治の本質に「友／敵」関係があると主張しました。無理に「友」のふりをしない方がいい。相手は「敵」なので、あまり追いつめると暴走して歯向かうかもしれない。そう警戒していた方が紳士的に付き合えるかもしれません。私は学生や同僚、近所の人たちを、ある意味、知り合いの家の犬のようなものだと思っています。慣れているので少々いじってやっても大丈夫だけど、何かの拍子に急に噛みつくかもしれない。犬の感情の動きは私には分かりません。私は子供の頃から犬の吠える声は小さい犬でもかなり苦手です（笑）。犬に触るときは、どんなに慣れている犬でも警戒感を持っています。学生や同僚に対しても同じような感覚です（笑）。

――すべての暴力を抑圧しようとすると、さらに強大な抑止力が必要になるのでやむを得ないとのお話でした。でも、それはある程度の犠牲者を容認することだと思います。どれくらいの犠牲なら許容可能とお考えですか。

人数として許容可能範囲を設定することに意味はないと思います。国家の規模は、中国のような十数億人規模のものからツバルのように一万人前後のもの、ヴァチカンのように名目上は千人以下だけど、教団としての影響力は大国並みのものなど、いろいろあります。国家であれ、ドゥルーズ＋ガタリの言う戦争機械のようなものであれ、戦争をする以上、何らかの形で「友／敵」に分かれることになるわけですが、その都度、「友」の犠牲を最小限にするにはどうするかを考えるしかないと思います。

そこで、「友＝同じ国民」と固定的に考えると、「友」の利益のために「敵」にはいくら犠牲が出てもいいというような排他的な考え方に陥りそうですが、それを防ぐには、二つの視点から「友／敵」関係を常に見直すよう心掛けるべきだと思います。一つは周りの「敵」に害になるようなことばかりやっていると、「敵」たちが結集して包囲され、苦しくなるかもしれないので、「敵」の立場から自分たちのやっていることを捉え返す、ということ。そうすると、少なくとも表面的には国際的ルールに従ってフェア・プレイしているように見えている方が得だ、ということが分かってくるかもしれない。それをカントは、「非社交的社交性 ungesellige Geselllschaft」と呼びます。自己の利益について徹底的に考えることで、他者と協調することによる利益が見えてくる、ということです。

もう一つは、自分を含めて人間のアイデンティティは絶えず変動していて、それに伴って、「友」の範囲も変容したり、多重化したりするということです。アメリカ人やEUの人であれば、アメリカ市民であると同時にドイツ系であり、〇〇派の信者で、民主党（共和党）の支持者であるとか、EU市民でドイツ人で、プロテスタントで、社会民主主義系の党の支持者で、フランス人と結婚していて、英国系の資本の会社に勤めている、というような多重のアイデンティティを意識しやすいでしょう。同じ国家に属していることが唯一の「友」の基準ではない。日本にいるとそういう視点を持ちにくいですが、同僚や同じクラブのメンバーに外国籍の人がたくさんいると、日本人だけが「友」という感じではなくなるでしょうし、地域で考えると、金沢だって先祖代々日本人という人ばかりはないでしょう。それに自分ではすべての「日本人」を友にしているつもりでも、あんな偏狭な田舎者なんか知ったことか、と思われていたことが判明するかもしれない（笑）。

私はそもそも、文句なしに「友達」と言える存在がいないので、すべての人が何パーセントか「友」で、何パーセントか「敵」です。常に、とりあえずは信用していい人を暫定的な「友」と見なして、噛みつかれないかと警戒しながら生きています。

第11講

資本主義は終わるのか

2019年12月21日

英語のeconomyは、語源的にはギリシア語のオイコノミアから来ています。「家」を意味するギリシア語が「オイコス oikos」で、「家を管理する技術」が「オイコノミア oikonomia」です。通常、オイコノミアは「家政術」と訳されているのですが、economyが完全に「経済」の意味になったのは一九世紀です。それ以前はオイコノミアの意味が残っていたので、家政という意味合いが強かったのですが、一七世紀以降、英語やフランス語で、economyにpolitical、あるいはそれに相当する形容詞をつけて、「国家（ポリス）全体のエコノミー（家政術）の意味という意味合いで、political economyという言葉が使われるようになります。Political の語源はpolisですね。近代の中央集権的国家ができあがるにつれて、国全体のeconomyを管理する必要が生じてきたわけです、

古代ギリシアのポリスでは、私たちが「経済《エコノミー》」と呼んでいるものが、「家」を

中心に営まれていました。オイコスは個々の市民が「善き生活」を営むための基盤で、「家」の集合体であるポリスは、「共通善」を探究することを目的として存在していました。「政治」と「経済」が横並びになるのではなく、「経済」は、ポリスそのものと言うべき「政治」を、裏から支える営みだったのです。

アリストテレス★には、日本語で「政治学」と訳されている『ポリティケー』という著作があります。この「政治学」も、私たちが現在政治学と呼んでいるものとは結構ズレがあります。〝経済〟政策は含まれないし、官僚機構としての政府の組織と機能などについての議論は含んでいません。「市民」たちをどのようなまとめて、秩序を維持したり、外敵に備えるかがテーマです。

ちなみにアリストテレスの著作は、本人が『政治学』『倫理学』『自然学』のようなタイトルをつけて分類したわけではなくて、アリストテレスの著作として残されていたものを、何世紀か後の人たちが編纂して、ポリスの運用について扱っているから政治、これは自然現象一般を扱っているから自然学というように、編纂者たちの判断で分けられています。個人の徳や善き生き方について書かれている『ニコマコス倫理学』と、ポリス全体について論じている『政治学』は内容が連続しており、和辻哲郎★はこの二つは一体のものとして読むべきだと言っています。『政治学』も『ニコマコス倫理学』も岩波文庫に翻訳が収録されているので

★ アリストテレス
本書二六頁の脚注を参照。

★ 和辻哲郎
一八八九～一九六〇。哲学者、倫理学者、思想史家。主な著作に『ニイチェ研究』『風土』『日本倫理思想史』など。

すが、『政治学』の翻訳の方が硬くて読みにくい気がします（笑）。『ニコマコス倫理学』の方がはるかに読みやすい。

貨幣と利子

アリストテレスは『政治学』の冒頭部分で、ポリスの最も基本的な単位は、夫婦の結びつきや主人と奴隷の関係からなる「家」であると述べています。さきほどオイコスを管理する学がオイコノミア（家政術）だと言いましたが、この「家」という概念は現代のわれわれが思っているよりもずっと広い。家族だけではなく、奴隷や、農地や家畜などの財産も込みの概念です。奴隷が生産活動に従事してくれているおかげで、家長＝市民による「家」が成り立つ。まず家があり、家々から構成される村《コメー》（κώμη）があり、村が複数集まってポリスが成立しています。だからポリスがうまく運営されるためには、基礎となる家政の術（オイコノミア）が重要なんだと述べています。

アリストテレスはこの『政治学』で、人びとは「家」を単位として、自分たちの生活に必要なものを獲得していることを指摘しています。獲得術のことを「ク

テキケー κτητική」と呼んでいます。まず、「自然な獲得術」があると言っています。この自然な獲得術というのは、狩猟・採集、農業など、自分で自然に働きかけて産物を獲ってくるのが、自然な獲得術です。一方で「貨幣（ノミスマ）」を媒介にしたクテキケーもあって、これは「クレマティスティケー χρηματιστική」と呼んでいるんですね。「財になるものを取得する術」という意味で「取財術」と訳されています。

人間が体を動かして自然物を採取する自然な営みに対して、貨幣を介した交換でうまく立ち回って取引することで財を増やしていく、不自然な営みが生まれたわけです。自然物であれば、人間の欲求に限度があるので、自分の生活に必要のないものまで無限に欲しがらないと一般的には考えられます。ところが「貨幣」という直接的には利用価値のないものを交換手段とすることによって、それが可能になってしまうわけです。

ロック★も『統治論』の中で、似たようなことを言っています。ロックは、「労働」という形で、人が自らに固有な性質（property）を物に投入し、その固有性をその物に移すことで、その物が、その人の所有物（property）になるという、労働＝所有論を主張しています。彼はそうやって所有権を根拠付けるわけですが、貨幣を媒介にして蓄財するようになると、人は自分の手で持てる以上のもの、自分

★ ジョン・ロック
本書一一一頁の脚注を参照。

で直接管理できる以上のものを「所有」できるようになるので、労働による自然との関係が乱され、不平等が拡大することを示唆しています。アリストテレスも同じような危険を指摘しているのですが、彼の場合、直接「労働」しているのは主人ではなく、奴隷なので、あまり「労働」を強調するわけにもいかなかったのでしょう。真に所有権があるのは、奴隷だということになりかねません。

アリストテレスの時代には商品経済がギリシア世界にかなり浸透し、地中海を越えて経済圏が拡がり、「経済」を農業中心に考えるわけにはいかなくなっていました。貨幣の不自然さで特に際立つのが、利子（トコス τόκος）です。金を貸して一定の時間が経つと、あたかも金が子供を生むようにし、トコスが発生する。日本語でも「利子」とか「利息」って言いますよね――「利息」は『史記』由来の言葉で、「利子」はその言い換えで、いずれも鎌倉・室町時代くらいから使われていたようです。特に高利貸し（オボロスタティケー ὀβολοστατική）は、利子で生計を立てているので、本来はあってはいけないことだ、と主張しています。日本語の「高利貸し」だと、金貸しの中の特にあこぎな人という感じですが、別の系統の言葉を使っているわけですね。英語の usury やドイツ語の Wucher も、単なる「利子」を意味する interest や Zins とは別系統の言葉です。

「利子」を取ることそれ自体を商売とする者を賤しむような感覚が、アリストテレスの時代にすでにあったわけです。貨幣というのはあくまで、物を交換するための手段であって、取引の仲介に手間賃を取るのはまあいいとして、その貨幣をある期間貸しただけで、生産的なことは何もしていないのに、利益を得るというのは、自然に反する悪徳だったわけです。この話にはまた後で戻ってくることにします。

アーレント『人間の条件』の労働、仕事、活動

ハンナ・アーレント★は『人間の条件』で、さきほどのアリストテレスの「ポリス」と「経済」の関係に関わる問題を、掘り下げて論じています。アーレントは、私たちの「人間」の在り方を規定する三つの条件として、「労働 labor」「仕事 work」「活動 action」を挙げています。この labor と work の分け方は英語の使い方としてかなり不自然ですが、ドイツ語版では labor を、work の意味にも labor の意味にもなる Arbeit に、work の方を通常は、生産、産出、制作を意味する Herstellen に置き換えていますが、少しちぐはぐです（笑）。それはともかく、英語版で「労働」と言われているのは生物としての生命維持に関わる営みで、「仕

★ハンナ・アーレント　一九〇六―七五。ドイツ出身の哲学者、思想家。主な著作に『エルサレムのアイヒマン』『全体主義の起原』『人間の条件』など。

事」は職人さんによる工芸品制作のように、机や椅子、テーブルなどの人間の社会的・文化的生活において必要とされているものを作る営みです。その意味で「制作」でもあるわけです。生命維持と直接関係ないけれど、人間同士の社会的関係を構築するための支えるとなる道具を作り出すわけです。「物」に囚われることなく、また力に訴えることなく、言葉によって互いの精神に働きかけ、説得し合う「活動」が最も重要だと語っています。「活動」と言うと大げさに聞こえますね。年輩の人は左翼活動を念頭に置くかもしれませんが、言葉での説得という普通の人間でもやっていることで、むしろ活動家の方がちゃんと活動していません（笑）。それよりさらに上位に来るのが、哲学者たちによる「観照的生活」で、この地上の現実を超える、観念の領域において探究する生活です。

アーレントの議論は、アリストテレスの『政治学』にかなり独得のひねりを加えたものです。自由な言論活動によって成り立つ政治は、ポリスのパブリック（公的）な領域、言い換えれば市民たちが全員参加し、活動の主体としてのお互いの姿が明らかになる領域で営まれるのに対し、生物的欲求を充足するための労働が営まれるのはプライベート（私的）な営みです。

現在の英語では、private という言葉は、親密な関係、愛情を大事にする、というようなポジティヴなニュアンスがありますが、もともとはラテン語のプリバートス（privatus）から来ていて、「欠けている」という意味です。アーレント自身が説明のために引き合いに出しているのですが、deprive A of Bという中学英語で習う言い方がありますね。このdepriveという動詞は、奪って欠如した状態へ至らせるという意味で、その欠如した状態がprivateです。何が欠如しているのかというと、公性、公然と見られること、正確に言うと、他の市民から見られる状態の欠如です。労働は、実際、家の中で営まれていました。家長である市民は、奴隷や他の家族のメンバーを力で支配していましたし、場合によっては、暴力もふるわれました。食糧など生活必需品の生産だけでなく、性的欲求や暴力衝動等の充足が家の内部、つまり外部に見えない形で営まれました。そのおかげで生活上の私的心配から切り離された、それらから解放された＝自由になった（liberataed）状態で、公的領域で自由な言論の活動が可能になる。市民たちはポリスが進んでいくべき方向性、共通の目的、市民としての善き生き方について語り合ったわけです。

むろん、現実の古代ギリシアのポリスの政治が、経済的な利害抜きで行なわれていたはずはないし、ソロン★やペリクレス★による改革も経済絡みのもので、アーレントもそれを知らないわけではないのでしょうが、少なくとも、自分の身体を使う労働から一応解放され、「活動」に専念できる人たちが存在するという点に

★ソロン
前六三九頃〜前五五九頃。古代アテナイの政治家。政治や経済の改革を試み（ソロンの改革）、アテナイの民主主義を築いたとされる。

★ペリクレス
前四九五〜四二九。古代アテナイの政治家。アテナイの最高権力者として最盛期を築いた。

注目し、ポリスの市民が理想としていた生き方をモデルにして、「人間」が人間であるための条件について考えようとしたのでしょう。

「私的な利益」から「国家の経済」へ

他人を説得するには、考えるための時間と余裕が必要だろうし、うまく言葉を使えるように常日頃から訓練が必要です。経済的な営みがなされる「私的領域」と、政治の領域である「公的領域」が分離されていることで、市民たちは少なくとも、自分と対等な立場にある市民たちと見つめ合ったり話し合ったりする「公的領域」では、経済に煩わされることなく自由に「活動」できたわけです。奴隷がいない近代市民社会では当然その分離を維持することは困難になり、政治家たちは露骨に自分と同じような利害関係にある人たちを代弁するようになります。

アーレントによると、古代では、私的な利益の話は家の中で完結していたので、政治について語るときに自分の利害は切り離すことが不可能ではなかった。経済についてパブリックに語ることが当たり前になってくると、自分の利益を離れて考えることが難しくなる。現在なら、むしろ自分の利益がかかっているからこそ、政治に参加すべきだ、と言われていますよね。

利益をどう配分するかを抜きにした政治は考えにくくなっています。政党が選挙戦を戦うとき、最初に成長戦略を掲げ、それから富をどうやって配分するのか、という話をしないといけない。そして、自分たちの党はどれほど多数の人たちの利害を代表しているかをアピールする。そういうことをやらないと、まともな政党と認められない。

サンデル『民主制の不満』と初期アメリカの精神

サンデル★は、アメリカの民主制を論じた『民主制の不満』という本で、政治と経済の関係についてこれとは違う見方を示しています。翻訳は勁草書房から上下二巻で出ています。それによると、初期のアメリカでは市民たちが自分たちの私生活の利害を超えて、アメリカという国家全体や共同体の公的な問題に対して強い関心を持っていたそうです。アメリカ合衆国はもともと地方自治体の集合体でした。初期においては独立を達成・維持するために全市民が頑張らねばならないのは必然だったでしょうが、その後も市民たちは政治に積極関与しようとし続け

★ マイケル・サンデル
本書八七頁の脚注を参照。

た。サンデルは、初期のアメリカでは資本主義が発達しておらず、多くの人が独立自営農民だったことが原因だったという見方を示しています。土地をどう分け合い、どうやって防衛していくか、という共通の関心があって、それに基づいてみんなで自治をしていくという精神があったわけです。土地は繋がっているので、独立して農業を営みながら、協力すべきときは協力する必要があったわけです。

古代ギリシアの民主政も独立自営農民がいたおかげで成り立っていた、という話もよく聞きますね。ホッブズ★とロックのちょうど間くらいの年代の英国政治思想家にジェームズ・ハリントン★という人がいました。彼は「オセアナ共和国」という理想の共和国を描きましたが、それは自分たちの土地を守るという意識で結び付いた独立自営農民の共同体でした。そうした独立自営農民重視の考え方が、ジェファソン★などの建国の父たちに強い影響を与えたとされます。

資本主義経済が本格化すると、独立自営農民は減少し、多くの人は資本家に使われる労働者になります。人びとは土地から引き離され、土地を媒介にした連帯が弱まります。サンデルは、資本主義経済の浸透と共に人びとがばらばらになり、単なる雇用契約だけで結び付く人間関係が支配的になったことが、共和主義的伝統の弱体化の主要な原因と見ています。この場合の共和主義とは、市民には権利だけでなく自分の属する共和政体に奉仕する義務もあり、政治に参加しない自由

★ トマス・ホッブス
一五八八～一六七九。イングランドの政治哲学者。主な著作に『リヴァイアサン』など。

★ ジェームズ・ハリントン
本書一七二頁の脚注を参照。

★ トーマス・ジェファソン
本書一七一頁の脚注を参照。

というのはおかしいという考え方です。いずれにしても、資本主義経済が浸透するとアーレントの言う意味――公私の境界線の崩壊――でも、サンデルの言う意味――土地を媒介にした連帯の崩壊――でも公共意識が弱まっていくわけです。

アーレント流の公／私区分に話を戻すと、古代の都市国家では、各人の生々しい欲望は私的領域の中に隠されていました。しかし貨幣経済が浸透して伝統的共同体が崩壊し、人びとが主として貨幣を介して繋がるようになると、人びとの「欲望」も露わになります。金を払って買うことでその人がどんな「欲望」を持っているのか分かるし、社会全体の欲望の動向も「経済」を見れば明らかになります。公／私の境界線による制約のなくなった「欲望」はどんどん広がり、経済成長の原動力になります。また、性のような「家」の中で隠れて行なうべきとされている行為も、お金による半ば大っぴらな取引の対象になります。そして取引対象になることで需要が喚起され、「欲望」はどんどん増大していきます。

カール・ポランニー『大転換』をめぐって

カール・ポランニー★というハンガリー出身の経済人類学者がいます。八〇年代

★ カール・ポランニー

に栗本慎一郎が注目されたころ、彼の思想的なバックボーンになっているということでポランニーも知られるようになりました。その後しばらく忘れられていた感じですが、二一世紀に入ってから、人類学というマルクス主義とは異質な視点からの資本主義批判をした人として再注目されるようになりました。

ポランニーの代表作『大転換』（*The Great Transformation*）によると、市場は経済にどうしても必要なものではなく、前近代の共同体では、経済は宗教や政治、法などと不可分に結び付いていました。部族社会では、首長などによる財の「再分配」と、身内同士の子どもを養ったり近隣の人同士で贈り物をし合ったりする「互酬」の原理によって運営されていたので、「経済」と呼ばれる特殊な営み自体が必要ではありませんでした。市場での取引が行なわれるようになっても、人間の生活の最も基本的な部分に関しては、社会文化的な各種の制約がかかっていた。ポランニー自身の言い方だと、社会的諸関係の中にembedded（埋め込まれていた）わけですが、近代において「市場」がその埋め込みから離脱disembeddingするプロセスが生じます。

脱埋め込みによって市場は「自己調整的」な性格を持つようになります。政治などの他の領域に左右されることなく、独立して作用するようになる、ということです。ハイエク★であれば、spontaneous（自生的）という言い方をします。

一八八六～一九六四。ウィーンに生まれたハンガリーの経済学者。経済史研究を基盤に経済人類学を構築した。主な著作に『大転換』『経済の文明史』など。

★ フリードリヒ・ハイエク
一八九九～一九九二。ウィーン出身の掲載学者、哲学者。一九七四年にノーベル経済学賞受賞。主な著作に『隷従への道』『自由条件』など。

自己調整的な市場が登場する以前の経済では、「再分配と互酬」の原理に基づいて、使用のための生産（production for use）が行なわれていましたが、それが市場経済になると、交換のための生産（production for exchange）が主になります。生きて行くうえで絶対に必要ではないものが作られるようになります。本当は不要な商品でも買い手さえいれば、作られます。買い手は買い手で、その商品に価格に見合う貨幣価値があり、そのままで、あるいは加工を加えて高い価格で転売できると思えば買う。生活のために生産するのではなく、取引してお金を得るために生産するようになるわけです。

この本末転倒はマルクス★も指摘していることですが、ポランニーのユニークなのは、自己調整的市場の成立条件として、本来商品にはなり得ない「労働」「土地」「貨幣」の三つが商品化されたことを指摘しているからです。人間にとって必要な商品を交換するための媒体にすぎないはずの「貨幣」が、自ら商品になるというのがおかしいことは分かりますね。ポランニーは、人間の手で生産されたのではないものが商品化されている矛盾を強調します。土地から取れる食物だったら人間が作ったものと言えなくもないですが、「土地」は人間が作るものではありません。自分で作ったのでないものを商品にするわけです。つまり自然を商品にしているのと同じようなものです。「労働」は人間の生活を構成する不可欠

★ カール・マルクス
本書三三頁の脚注を参照。

の部分で、それだけ切り離して売り買いすることなどできないはずなのに、商品になっている。本来、市場を成り立たしめる前提条件であり、市場を社会に埋め込んでいたこの三つが「擬制商品 fictious commodity」になることで、市場は他の領域からの制約を受けないかのような外観を獲得し、自己調整的になるわけです。ポランニーは、古典派経済学ではこの三つが完全に商品になっているかのように扱われているけれど、それは人間の本性に反しているので無理があり、市場経済はいつか消滅するしかないと示唆しています。

マンデヴィルからスミスへ

こうして市場が次第に自立していったのに伴って、一八世紀に当初 political economy と呼ばれていた「経済学」が成立します。

「重商主義から古典派経済学へ」と言いますね。「重商主義 Mercantilism」という言葉は、それが指している内容とミスマッチだったかもしれません。商人を意味するラテン語〈mercans〉から派生した言葉です。商人主義ですよね。それはともかく重商主義は、特定の商人に特許を与えて保護する保護貿易と、貴金属貨幣を重視し、国内に貯め込んで管理しようとする。古典派経済学は、それに対抗して貿易の自由化を正当化する試みから出発します。分業によって生産効率が向上することに着目し、国際的分業のための自由貿易を提唱します。国内的には、政府による規制の緩和（deregulation）を勧めます。

規制緩和の根拠として、経済思想史の教科書に必ず出てくるマンデヴィル★は、『蜂の寓話』という著作で、「私的な悪（private vices）、すなわち公益（public benefits）」という定式で知られる有名な議論をしています。マンデヴィルはオランダ出身のイギリスで開業した医師で、風刺的な文筆家です。個人が善き生活を送ることで「共通善」が達成される、というアリストテレスの発想の逆に聞こえますが、この場合の「私的な悪」とは私的利益を追求することです。個人に、公益など考えずに勝手に私的利害を追求させる方が、富が増大して公益になるということです――これはアーレントの発想の真逆です。マンデヴィルは文学的に表現したのですが、それを理論化したのがアダム・スミス★の『国富論』です。市場での自由競争があれば、「見えざる手」によって市場が自動調整される、という考え方です。

スミスは『国富論』で、分業による生産の効率化と市場の調整機能を尊重し、それらに対する国家の介入は抑制すべきだということに加えて、人間の生来の

★　バーナード・デ・マンデヴィル　一六七〇～一七三三。オランダ出身のイギリスの精神科医、思想家。主な著作に『蜂の寓話』など。

★　アダム・スミス　一七二三～九〇。スコットランド生まれのイギリスの経済学者、哲学者。主な著作に『道徳感情論』『国富論』など。

ニーズに対応する使用価値と、市場での価格によって表示される交換価値の区別についても論じています。たとえば水は、使用価値は高いけれど交換価値は低く、ゼロの場合もあります。ダイヤモンドはその逆です。交換価値を規定するのは、それを獲得するのに必要な労働時間だとします。この意味での労働価値説を最初に説いたのはマルクスではなく、アダム・スミスです。

スミスはまた『道徳感情論』で、人間にはもともと他者に共感する能力があり、それが道徳の起源になると論じています。他人が怪我をして苦しんでいるのを見るとそれを自分の身に重ねて、「ああ痛い」と感じることがありますね。最初は単にリアクションするだけでしょうが、いろいろな経験を積むことでどれくらいのことが起ればどれくらいのリアクションするのが普通か、およその相場が見えてきます。自分やこれまで見聞きした他人の経験に照らして、「ああこいつは騒ぎすぎだ」とか「これは当然だ」というように適切かやりすぎで不適切かを判断するようになります。これを適宜性（propriety）と言います。この適宜性を判定する「公平な観察者 impartial spectator」が各人の内部に生まれてきます。当初は当然自分なりの〝公平〟ですが、経験をさらに重ねて語り合うことで、各人の〝観察者〟の判断が次第に接近します。そうやって次第に普遍性を帯びていく「公平な観察者」の視点から市民社会における「正義」が確立し、それに基づいて法が

アダム・スミス

制定されます。

市場と市民社会の形成

市場をポジティヴに捉えると、いろんな人間と付き合ってさまざまな経験をし、共感能力を高める場だと言えます。一八世紀にイングランドと正式に合邦したスコットランドは、ヒューム★やスミスなど多くの経済学者や倫理学者が登場し、人びとが結び付く市民社会において生まれつつあった市民的規範を、市場を中心に探究するようになりました。これは後にスコットランド啓蒙主義と呼ばれるようになります。彼らはスミスの『道徳感情論』のように、共同体を破壊するものというより、市民社会にふさわしい普遍的規範を生成する場として「市場」を捉える傾向があります。市場的なメンタリティは、新しい道徳感を生み出すわけです。

カント★も似たような発想をしていて、伝統的な共同体から離脱した諸個々人に見られる「非社交的社交性 ungesellige Geselligkeit」について論じています。人間は、何が自分の利益になるのか、利那的にではなく徹底的に考えると、自分のふるまいに他人が反応するか気になります。同じ相手と長く付き合うとなると、利己的

★ デヴィッド・ヒューム
一七一一〜一七七六。スコットランド出身の経験論を代表する哲学者、自由主義者。主な著作に『人間本性論』『市民の国について』など。

★ イマヌエル・カント
本書の三四頁の脚注を参照

にふるまう奴と思われるのはまずい。つまり、利己性ゆえに他人に受け入れるようなふるまいを身に付ける。従って各人が利己的であるほど社会秩序の形成が促進される。カントは、「非社交的社交性」を通じて歴史は世界市民的な法秩序の形成に向かって進んでいるのではないかと示唆します。そうやって個々人の思惑を超えて世界史が普遍的理性を実現する方向に向かっていくことを、ヘーゲル★は「理性の狡知」と呼んでいます。

そのヘーゲルは「市民社会」を、従来のように家族的関係や地域的なつながりではなく、欲望を通じて人びとが繋がっている共同体だと見ています。交換を通じて、それぞれの欲望を充足する欲望の体系です。ただ、ヘーゲルのドイツ人らしいところですが、それだけだと人間同士の関係が希薄になり、競争で負けた立ち上がれない人たちが出て、社会全体が不安定化するかもしれないと指摘しています。そういうことが起こらないように、市民社会には民法や商法によって市民間の紛争を処理する司法制度や、治安維持、貧困者救助、商品の品質検査、公衆衛生、教育などを総合に実行する福祉行政（Polizei　ポリツァイ）――今のドイツ語では（polis を語源とする）Polizei には警察という意味しかありませんが、当時は行政一般を意味していました――や、業種ごとの資格を定め、メンバーを養成し、相互に助け合う協同組合（Korporation）などの仕組みが備わっています。

★　ゲオルク・ヴィルヘルム・フリードリヒ・ヘーゲル
本書の三五頁の脚注を参照。

公共性の議論でよくアーレントと一緒に取り上げられるハーバマス★の初期の著作に『公共性の構造転換』があります――これが彼の教授資格論文です。アーレントは市民社会をお互いの欲望を追求しあうだけの場であり、本当の討議は難しいと言うのですが、ハーバマスは、市民が自分たちの利益を君主や官僚たちに対して主張するために集まって議論するような場が、市民社会が成熟する過程で生まれてきたと主張します。その背景には、市民層が生活の余裕を持つようになってきたこと、カフェや読書サークル、サロンのような場で市民たちが討論する習慣を身に付けたことがあります――これを文芸的公共圏と言います。やがて新聞や雑誌などの活字媒体を通して政治に関する情報を得た市民たちは自分たちの共通の利益を発見し、「世論」を形成して、職業選択の自由、営業の自由、参政権などを求めて、対抗公共圏を作るようになった、というわけです。これもまた私的利益追求から公的なものが生まれてくる、という発想です。

★ ユルゲン・ハーバマス
本書八七頁の脚注を参照

マルクス『資本論』と交換価値

いずれにしても、アリストテレスなどが懸念していたように、資本主義の到来とともに貨幣が前面に出る社会になります。この仕組みを論じたのがマルクスです。マルクスは哲学を経済の概念によって再構成しようと試みたと言われています。哲学を含めた人間の意識的な営み、特にわれわれが高尚だと思っている芸術や思想なども、そのときどきの生産様式である「下部構造」に規定されていると主張しました。

『資本論』には抽象的な議論が多く、現実の経済過程の分析にはあまり使えないところが多くなっていますが、交換価値の分析や、利子と利潤の関係の説明などは、経済の基本的な仕組みを理解するのに役に立つと思います。

スミスは、「使用価値」と「交換価値」を区別しただけですが、マルクスはこの二つの関係について突っ込んだ説明をしています。市場での交換に際して、一応、商品同士の使用価値を比べて交換されますが、その「使用価値」は人間のニーズにどれだけ対応しているかに基づくものではなく、Aという商品X個と、Bという商品Y個が交換できたので、両者の使用価値はAX＝BYだという形で、事後的に判明するというか、決められます。そういう風にしか表現されないですね。また、Aの交換価値は、それが単位当たりPという使用価値を持ったB、単位当たりQの使用価値のC……と、イコールで結ばれるという形でしか表現できません。Aの使用価値がBの交換価値によって、Bの交換価値がAの使用価値によって表現されるという、循環的な関係になっているわけです。

何か食べないと生きていけないので、取引によって食べ物を手に入れるわけですが、個々の食べ物に対するニーズ≒使用価値は、それと交換するために相手に渡したものの量以外に、どう表現したらいいか分かりませんね。これが衣服や家具、本のように、生物としてのニーズからかけ離れたものになると、ますます自然な使用価値がどれくらいで、どう表わしたらいいか、全然見当が付かなくなります。服の値段なんて同じ重量や大きさでも全然違いますが、どうしてそんなに使用価値が違うのか、考えても答えは出ません。それを手に入れるには、たくさんのものを持っていかないといけないから、としか言いようがありません。それは交換価値が高いということです。

そうすると、さきほどもお話ししたように、交換価値が高いのだからいいものに違いない（＝使用価値も高い）ということで買って使うようになるので、買ったものはそれだけの（使用）価値がある、という気になります。交換によってニーズが生み出されるという逆転した事態が生じるわけです。そうした人間の欲望を支配する「交換価値」が顕在化し、それ自体が商品として流通するようになったのが「貨幣」です。AX＝BY＝CZ＝……という連鎖の中で、「＝」を成り立たせている共通要素、抽象化された〝ニーズ〟一般とでも言うしかないようなもの

カール・マルクス

が「貨幣」という形を取るわけです。

いったん「貨幣」が結晶化して、商品同士を形式的に比較するという面倒な手続きもなくなったら、もはやその商品に市場でどれだけの買い手が集まるか、という需給の関係で交換価値が変動するだけで、個々の商品の価値なんかどう転ぶか分からないという気もしますが、マルクスは「労働」は特別な商品で、労働時間が商品の交換価値を規定する尺度になっていると主張します。

確かに、何らかの形で「労働」が加わらないと物は「商品」になりませんし、労働を売って得た賃金で他の商品を買う労働者がいないと、資本主義経済は成り立ちません。他の商品は一度作られたら人間とは別個の物体になりますが、「労働」だけは人間の身体から切り離せません――マルクスは、労働の結果と区別する意味で「労働力」という言い方をします。

人間の体を一定時間拘束して指揮命令系統に置かないと、「労働力」を利用して商品を作らせることができません。時間当たりいくらで「労働力」――というより労働者の身体の使用権――を買うことで、資本家は商品生産のプロセスを開始することができます。その「商品」を売って得た代金で原材料を仕入れ、機械の減価償却を行ない、そして再び「労働力」を買って、労働者を働かせます。マルクスは原材料や機械、そして資本家による指揮命令は、新たな価値を生み出さず、もっぱら「労働力」だけが交換価値を増やすことができると主張しました。

労働者は、「労働力」で得た賃金で家族を養います。子供が育っていくことで、労働力が「再生産」されます。リプロダクション（reproduction）という言葉には「生殖」と「再生産」という意味がありますが、「労働力」の売買が、「生殖」という形で労働力自体を再生産するわけです。

資本家は就業時間をうまく調整し、労働者を余分に働かせることができます。労働者が生活に必要な商品の交換価値の総額の労働時間換算を上回る時間働かせ、その差を、「剰余価値」として搾取し、そこから資本家自身が消費する分を差し引いて、後は「資本」に付け足し、「資本」を増やしていきます。これがG-W-G'です。Gはゲルト（Geld 貨幣）、Wがヴァーレ（Ware 商品）。G'は増加した貨幣です。この過程に労働力や原材料、機械の減価償却などがその都度関わってきます。マルクスの定義では、単に資本家の手元にある資金や財ではなく、G-W-G'の運動を続けるのが「資本」です。

資本主義社会では、元手になる「資本」を持っていないと生産活動ができません。それなりの額の貨幣を持っていることが前提です。前近代の職人さんと違って、「労働者」は生活に必要なものを手に入れるために代償として売るものがないので、自分の「労働力」を資本家の言い値で売って、「剰余価値」を取られるしかないというわけです。

むろん「労働力」だけが新たな交換価値を作り出すとか、交換価値が労働時間だけで決まる、という前提に対して、どうしてそうなるのか、という疑問を突き付けることはできるのですが、マルクスにとっては、労働者階級というものが現れ、彼らをうまく働かせることが資本主義存続のカギになっていた以上、労働価値説をベースに考えるのは当然だったのでしょう。

貨幣と欲望

G-W-G'という書き方をすると、いかにもこの過程が自動的に進行しているかのように見えますが、そんなことはありません。思ったような価格で売れなかったら投入した金は無駄になってしまい、場合によっては、一文なしになってしまいます。それが、柄谷行人★が強調していた「命がけの飛躍 salto mortale」です。これはマルクス自身の言い方です。分かりやすく言うと、資本にはリスクが伴うわけです。ただ、いったん市場で商品に値段が付くと、それを買いたいと思う人が登場する可能性が高くなるので、資本を増殖させる循環が続く可能性が高くな

★ 柄谷行人
一九四一年生。文芸批評家、哲学研究者。主な著作に『マルクス　その可能性の中心』『探究』『〈戦前〉の思考』など。

ります。貨幣にはそういう効果があります。

人間が純粋に合理的に使用価値を追求しているとして、同種の他の商品より高いものがあると、それに対する需要が低下すると考えられるので、需要と供給に関するセイ★の法則に従って、自然と落ち着くべきところに価格が落ち着くはずです。しかし実際には、値段の高さが目立つものがあるとその値段がどんどん高くなっていくという現象もあります。どこがそんなにいいのかよくわからないけれど、ちょっとでも違っていそうな部分があって、高い値段が付いているものがあると、自分にははっきり分からないけれど、それには〝ニーズ〟があるに違いないという気がして欲望が高まってゆく。美術館で展示されている美術品には値段がついていませんが、値段をつけたら見え方が変わってくると思います。

物神性とファンタスマゴリー

貨幣は商品の中に反映される人間の欲望を忠実に表現するというより、増幅させる働きを持っています。現代だと当然のことのように思われがちですが、どうしてそうなるのか説明しようとすると、結構難しそうですね。マルクスは『資本

★ジャン＝バティスト・セイ
一七六七〜一八三二。フランスの経済学者、実業家、古典派経済学の信奉者。供給と需要の関係についての「セイの法則」で有名。

論』第一巻第一章第四節の「商品の物神性（Fetischcharakter）とその秘密」という節でこのことを論じています。「物神 Fetisch」というのは、未開の部族社会において超自然的な力が宿っているとされ、呪術的な儀礼に用いられる物のことで、フェチの語源です。商品を呪物みたいに崇める、ということです。

マルクスの仮定によれば、商品の価値は労働時間によって決まるはずです。しかし、市場で高い値段が付けられていかにも高価そうに装われている商品を見ると、その商品がものすごく魅力的な感じを受けます。商品自体はただの物体ですが、それがあたかも人間の力を越えた神秘的な光を帯びているような様相を呈し、人びとはそれを呪物のように崇拝します。新しい機種のＰＣとかスマートフォン、新車などに異様に魅せられる人のことを念頭に置くと分かりやすいでしょう。そんなに従来のものと機能が違うわけではないと分かっているのに。そうした商品の外観をマルクスは、「ファンタスマゴリー的なフォルム」と呼んでいます。ファンタスマゴリーというのは、何の変哲もないオブジェの影をスクリーン上に化け物のように大きく映し出す幻燈装置のことです。一八世紀末から一九世紀半ばにかけて流行りました。

この講義でも何度か名前を出したベンヤミン★は、パリのパサージュ（アーケード街）で、いろいろな店のショーウィンドー越しに商品が魅力的に展示されてい

★ヴァルター・ベンヤミン
本書三九頁の脚注を参照。

るのが、都市計画、建築様式、室内外の装飾、通りに集まってくるさまざまの階層の人びととセットになって相乗効果を出し、通り全体に魅力的な雰囲気を出すようになったことに注目しました。そしてそれをファンタスマゴリーと呼び、それが生成していく様子を社会史的に記述しました。彼は、町の風景、メディア、服飾、広告などの広い意味での美的要素がどのように人びとの欲望を喚起し、さまざまな流行を生み出し、資本主義発展の原動力になっているかを明らかにしています。

ベンヤミンは一応「唯物論者」を自称していますが、工場労働を中心に資本主義を理解していたマルクスたちとは大分違います。マルクスは「ファンタスマゴリー的なフォルム」という表現を一回使っているだけで詳しいことは言っていないのですが、それをベンヤミンが拡大解釈して、商品世界が発揮する美的欲望刺激効果自体に注目したんですね。その仕事を二〇世紀後半に継承し、消費社会論を展開したのが、フランスの社会学者ボードリヤール★です。彼は、商品や広告が発する直接の物質的刺激ではなく、記号としての性格が欲望を生み出すと指摘し、記号の面から消費産業中心に成長するようになった資本主義を分析しました。

★ジャン・ボードリヤール
一九二九〜二〇〇七。フランスの社会学者、ポストモダン的な言論を展開した。主な著作に『象徴交換と死』『シミュラークルとシミュレーション』など。

「利子」の話に戻りましょう。『資本論』の第三巻でも利子が、資本の回転を規定する重要な要因として分析されています——第三巻はマルクスの死後、遺稿がエンゲルスの編集で刊行されたものです。

アリストテレスだけでなく、ユダヤ教にも利子を危険視する発想があります。旧約聖書の出エジプト記や申命記などに、同胞から利子をとって金を貸してはいけない、ということが述べられています。現実的には、高利を取って借り手を追い詰め、土地や家を取り上げることになると、共同体の絆が崩壊する恐れがあるので、それを怖れたのでしょう。キリスト教やイスラム教もそれを継承しました。トマス・アクィナス★は〈usura〉（ウスーラ）は罪であると言っています——usuraは「高利貸し」という意味ですが、面白いことに、元は「使用」とか「享受」という意味でした。中世キリスト教には、「Nummus nummum parere non potest（貨幣は貨幣を生み出すことはできないはずだ）」という格言があり、利子は、神あるいは自然の摂理に反するという考え方が支配的でした。

前近代のヨーロッパにおける「利子」のイメージについて論じられるとき、よく引き合いに出されるのがシェイクスピア★の『ヴェニスの商人』です。経済学者

★ トマス・アクィナス
本書九二頁の脚注を参照。

★ ウィリアム・シェイクスピア
本書三八頁の脚注を参照。

の岩井克人★さんに、『ヴェニスの商人の資本論』という著作があります。ユダヤ人はキリストを十字架にかけたことで、神を裏切った民族として迫害されていたことはご存知だと思いますが、彼らの中には一カ所に定住するのが難しいので、金融業に進出した人が多かったとされています。さきほどお話ししたように、モーセ★の時代以来、ユダヤ教も高利貸しをしてはいけないと言われていました。しかし、ユダヤ人から見てキリスト教徒は同胞ではないし、キリスト教徒から見ても、ユダヤ人はもともと自分たちの共同体に属さない異教徒だったので、ユダヤ人であれば、金貸しをすることが許容されたわけです。

むろん、キリスト教徒で金融業らしきことをやっていた人がまったくいなかったわけではありません。中世末期になると、テンプル騎士団★とかメディチ家★などが銀行をやっていたのは有名な話ですが、両替とか融資の手数料、証券の売買のような形で、実質的に利子に相当するものを取っていました。それが「第五回ラテラノ公会議」という宗教改革の直前に行なわれた公会議で、貧困層を助けることを目的とするのであれば、利子付きでの金貸しを認めることが公式に決定されました。ただ、それはあくまで例外的な扱いで、カトリック教会は一九一三年になってようやく、利子禁止を教会法典から削除しました。

★　岩井克人
一九四七年生。経済学者。主な著作に『ヴェニスの商人の資本論』『貨幣論』。

★　モーセ
前一三世紀頃のイスラエル民族の指導者、予言者。神ヤーウェとの契約により十戒を授けられる。

★　テンプル騎士団
中世ヨーロッパでエルサレム巡礼に訪れる人びとを保護するために生まれた騎士修道会。

★　メディチ家
ルネサンス期のイタリアの名家。フィレンツェの支配者として君臨した。

ゲーテ『ファウスト』に描かれた資本と株式

ゲーテ★の代表作の一つに『ファウスト』という戯曲があります。近代初期にファウストという錬金術師が実在しましたが、ゲーテの戯曲の主人公はその錬金術師の息子で、近代の錬金術を行なうという設定になっています。

ご承知のように、この作品でファウストは悪魔と契約しますが、契約というのは通常、お金に関係する行為です。ファウストは神聖ローマ帝国とおぼしき帝国の皇帝に仕えますが、衰退しかけている帝国を救う手立てとして、紙幣を作ります。その前段として仮面舞踏会を開き、その中で貨幣を象徴する芝居を上演します。貨幣を象徴する富の神プルートゥスを登場させ、貨幣がすべてを豊かにする神であることを暗示する内容です。その芝居をやっている最中にどさくさに紛れて、「この紙幣は私の名において一〇〇〇クローネの金貨と同じ価値でこの帝国領内で通用する」と書いた紙に、皇帝の署名をもらいます。それを印刷に回します。そうすると皇帝の署名が信用となって、紙幣は滞っていた宮廷の支払いに当てられ、それ以降、人から人の手に渡り、経済が再び回り出し、帝国は破産の危機から救われます。

★ ヨハン・ヴォルフガング・フォン・ゲーテ
本書三八ページの脚注を参照。

その手柄でファウストは重用されるようになるのですが、紙幣を元手にしてファウストのさまざまな新規事業で幸せになった人もいる一方、その事業のせいで昔ながらの住み慣れた土地を追われ、命を失う人も出てきます。

ファウストのモデルは、スコットランド出身のジョン・ロー★というフランスで活躍した財政家だとされています。当時、フランスは今のアメリカのルイジアナ州に当る地域を植民地にし、ミシシッピ川流域を開発するためのミシシッピ会社を作りましたが、経営は思うようにいってませんでした。ローはその会社の経営権を手に入れて事業計画を拡張し、さらに王立銀行の経営も任されました。彼は、王立銀行から大量の紙幣を発行しました。普通ならいきなり紙幣を出しても、国民は受け入れないでしょうが、ローは国債をミシシッピ会社の株式と交換可能にしました。国債の利子の支払いや償還は紙幣によって行なわれるわけですから、それは紙幣に対する信用にもなります。ローが新たに打ち出したミシシッピ・プロジェクトが有望に思われたので紙幣の発行はうまく行き、フランスは財政破綻を回避できました。本格的な紙幣を大量に発行するのは当時としては新しい試みだったわけです。貴金属ではなく、株式が紙幣の担保だったわけですね。株式は、一般の商品や貨幣以上に人びとの欲望に対応して、価値が激しく変動するものです。最初はフランスから遠く離れた大陸での事業なので実体が分からないという

★ ジョン・ロー
一六七一〜一七二九。スコットランド出身の実業家、経済思想家。

こともあってバブルになり、うまく行っていたのですが、次第に事業展開に疑問を持つ人が増えてバブルがはじけると、当然、株式と連結している紙幣の価値まで下がり始めました。これはいわゆるバブル現象が起こるときの典型的なパターンです。フランスの財政がよけいにひどいことになり、ローは逃亡します。このときの破綻が、フランス革命の遠因になったとされています。

金や銀がなくても、それと同じ、あるいはそれ以上の価値を、人間の欲望を刺激することで生み出す紙幣は、近代の錬金術ですね。

交換価値の支配

第二次大戦の前後、ベンヤミンの友人であったフランクフルト学派のアドルノとホルクハイマー★は、貨幣による等価交換が人間の認識や行動にどういう影響を与えるかを考えました。等価交換は、同じ値段がつくものは同じ価値であることを前提にします。物を、値段に即して同一視するということです。同じ値段でも野菜とお酒と本と服では全然違うし、同じ種類の野菜でも、大きさや形状、色合いは結構違いますが、値段がついてイコールで結ばれると、◎◎円のものとし

★ アドルノとホルクハイマー
本書一一八頁の脚注を参照。

て「同じ」ということだけが強く意識され、◎◎円のものにふさわしい扱いをするようになります。絵や彫刻の値段を聞かされると、偉そうに自分の芸術趣味を語っていた人も、作品をその値段で見て相互に比較するようになってしまう。そんなにお金のことばかり考えているつもりはなくても、生活のために物を買ったり、どこかに雇われたりする際には、お金を基準に考えるしかありません。交換に際して、それが自分にうまくフィットするかどうかすみずみまで観察できればいいのでしょうが、そんな時間はありません。値段で良し悪しを判定していることは多いのではないでしょうか。

アドルノとホルクハイマーは、こうした等価性の原理が生活に浸透するのに伴って人間の理性が発展してきたとし、理性と等価性の原理は表裏一体だと考えました。理性を表すラテン語〈ratio〉は、もともと「計算」という意味でした。対象を漠然と全体として見るのではなく、重さ、長さ、重量など数量化可能な属性に注目し、XはAキロ、BセンチxCセンチxDセンチのような形で把握します。そうした数量化が等価交換の基礎になります。アドルノとホルクハイマーの『啓蒙の弁証法』では、ホメロス★が『オデュッセイア』で描いたオデュッセウスが故郷へ帰還する旅が自然の中に組み込まれ、自然を神と崇めていた人間が、計算的理性を身につけていくことによって自然から自立し、逆に自然を支配するよ

★ ホメロス
本書一一八頁の脚注を参照。

うになる過程を象徴しているという前提で解釈しています。文学の好きな人には刺激的でしょう。オデュッセウスが故郷に帰還するのを妨害する妖怪みたいなものは、人間が理性を働かせ、自然の懐の外に出ていくのをやめさせようとする自然の脅威を象徴します。歌声で魅了するセイレーン、カリュブディスとスキュラ、人間を動物に変える魔女キルケー、食べると自我意識を失うロートスの果実とそれを食べている種族……それぞれについてかなり興味深い解説がありますので、読んでみてください。

等価交換と一番関係が深いのは、一つ目巨人キュクロプスとオデュッセウスの取引です。オデュッセウスたちがよくわからないままキュクロプスの洞窟に入って、彼の食べ物に手を付けてしまいます。キュクロプスはオデュッセウスたちを捕まえて、二人ずつまとめて食べていきます。オデュッセウスは上等な葡萄酒を捧げて機嫌を取ります。そこでキュクロプスは、おまえを食うのを一番最後にしてやろうと言います。それで時間稼ぎできた彼は、キュクロプスが眠っている間に目を潰して、脱出する準備を進めます。

アドルノとホルクハイマーの解釈によると、これは自然から自立しつつある主体が自然と一種の取引をしている場面です。キュクロプスは自然の「暴力＝猛威Gewalt」の象徴であり、人間はそれをなだめるために犠牲を捧げます。犠牲は一

フランスの画家ルドンが描いたキュクロプス

方的です。しかしオデュッセウスとキュクロプスのやり取りは、一方的に見えながら部分的に交渉しているようにも見えます。言わば犠牲と等価交換の中間の何かです。これは航海に出た初期の「商人」が他所の土地を客人として訪れたとき、現地の人に贈り物をして相手と友好関係を築いたことに対応しています。そうした贈り物は見返りを期待できることが多いので、交換の要素を含みます——この点については後で触れます。オデュッセウスはあたかも犠牲を捧げているように見せかけて一種の取引をし、最後は自分が優位に立つと、「自然」にダメージを与えて旅立ちます。つまり合理的に計算する主体として自立したわけです。「自然」を欺くという漠然とした感じがしますが、より自然に溶け込み、ギリシア人から見たら野蛮な生き方をしている現地人だとキュプロクスを考えたら、具体的なイメージがわくでしょう。自分たちもちょっと前まで野蛮だったのに、野蛮な異邦人に贈り物で機嫌を取るふりをし、騙して不当な交換をして利益を得る——等価計算ができないと、騙して不当交換するということはできません。場合によっては相手を抹殺する。本当は自分の方が野蛮なのに、啓蒙され主体化されつつあった人は、計算できない未開人を騙して屈服させるのを当然と思うんですね。アドルノとホルクハイマーは、それが啓蒙された理性の本質だと示唆します。

さきほどの、犠牲と交換の中間形態としての「客人の贈物 Gastgeschenk」に関連したお話しをしておきましょう。アドルノたちは、『オデュッセイア』の解釈に関して、原初的な宗教についてのデュルケイム★、その甥のモース★と共同研究者のユベール★などによる文化人類学の研究の影響を受けたとされています。モースの『贈与論』では、北米のネイティブ・アメリカンたちのポトラッチが紹介されています。ポリネシアやメラネシアにも同じような慣習があるということです。ポトラッチはしばしば交換経済の原型とされます。自分が欲しいものを手に入れるために交換するのではなく、相手に一方的に贈り物を捧げ、「おれはお前のためにこれだけたくさんのものを捧げる、お前はこれだけ出せないだろう」とアピールします。意地の張り合いですね。場合によっては、自分はこれらの贈物を全然惜しいと思っていない、別に見返りもいらないことを証明するために、相手の目の前で高価なものを叩き壊すこともあります。

マリノフスキー★というポーランド出身の文化人類学者は、パプアニューギニアのトロブリアンド諸島で、ポトラッチの一種と考えられる「クラ」という現象

★ エミール・デュルケイム
本書一二四頁の脚注を参照。

★ マルセル・モース
一八七二〜一九五〇。フランスの社会学者、文化人類学者。主な著作に『贈与論』『分類の未開形態』など。

★ アンリ・ユベール
一八七二〜一九二七。フランスの宗教社会学者。史学者。

★ ブロニスワフ・カスペル・マリノフスキー
ポーランド出身のイギリスの文化人類学者。主な著作に『西太平洋の遠洋航海者』『未開社会における性と抑圧』など。

を観察しています。貝でできた首飾りの贈り物を持って、円を描くように遠洋航海し、行く先々で贈り物して、返礼をもらうのを繰り返します。各地の住民が順繰りに同じような航海をやるので、贈り物はいつか元の場所に戻ってきます。そこにだけ注目すると、何のためにやっているのか分かりませんが、メインの首飾りの贈り物と一緒に食糧品や日常生活も持っていて、それらも贈り物にしたり、物々交換したりするので、結果的にいろんな物資が手に入ります。また、行った先々でもてなしを受けるので友好関係が深まります。儀礼と交換を兼ねたようなことをやっているわけですね。

純粋な「等価交換」が始まるとそうしたサイクルが破壊され、各人は計算して交換する、孤立した主体になっていくわけです。

宗教と貨幣

『啓蒙の弁証法』を読むと、宗教的儀礼と貨幣は敵対的な関係にあるように思えてきますが、貨幣あるいは交換と宗教の間には結構深い関係があるかもしれません。ニーチェ★が『道徳の系譜学』で指摘していることですが、「罪」を表すドイ

★ フリードリヒ・ヴィルヘルム・ニーチェ

ツ語 Schuld は、もともと「負債」という意味です。「負債」から「罪」が生れたわけです。「債権者」は Gläubiger と言いますが、これには「信者」という意味もあります。英語だと creditor ですが、これは credit を与える者だということは分かりますね。credit の語源は「信じる」もしくは「信仰する」という意味のラテン語〈credere〉で、信じて貸すから、credit と言うわけです。アメリカのコインや一ドル紙幣に、「In God We Trust」と書かれているのは有名な話ですが、神への「信仰」と貨幣に対する「信頼」、それを貸し借りする人同士の「信用」が結び付いているわけですね。

「貨幣」は、不特定の相手が「受け取ってくれる」と信用しているから成り立っているわけです。皇帝の署名の話をしましたが、国家に対する「信用」、言い換えれば、国家が存在し、今後も存続し、信用取引を保証してくれるという「信仰」が貨幣に通用力を与えているわけです。

最近流行っているMMT（Modern Monetary Theory、現代貨幣理論）の議論は、先進国で自国の通貨を自由に発行することができるなら赤字国債が増えても大丈夫、一般国民が物が買えなくなるほど物凄いインフレが起きない限り心配しなくてよいと主張します。日本のようにGDPの二倍以上の国債を出しても大丈夫、現にデフレ傾向ではないかというわけです。徴税権がある国家は自国通貨で納税を

本書二三三頁の脚注を参照。

義務付けられるので、発行した通貨の受け取り手がいなくなることはない、と主張します。MMTは、交換主体同士が社会的な約束事としての貨幣の通用力を信じていると想定するのは非現実的だとする一方で、主権国家の名による信用創造の力は信じています。単に回りの人が取引に使っているという事実ではなく、皇帝の署名のようなものがないと「信用」は生み出されないと考えるわけです。

貨幣が「信仰」関係の語彙で表現されるのは、貨幣も何かを信じて拠り所にしたい、という人間の宗教的本能と深いところで繋がっているからかもしれません。貨幣経済の浸透と共に市場は自己調整機能を得て、宗教から自立化し、社会は宗教からどんどん離れていくようになりましたが、それは貨幣が宗教の基本的な役割、人びとを結び付ける役割を乗っ取ったからだと見ることができます――religion の語源のラテン語〈religio〉は、そのさらに語源についていくつかの説がありますが、キリスト教関係では、「再結合」を意味するという説が有力です。

資本主義の自己拡散

ドゥルーズとガタリの著作『アンチ・オイディプス』と『ミル・プラトー』は、

資本主義を生み出した欲望のこれまでの動向と、将来どうなるかの見通しを述べた著作です。前回お話ししたように、彼らは人間の身体は、さまざまな機械、特に欲望を再生産する欲望機械の連合体だと見ていました。原初の共同体は各人の内で働いている欲望機械を連結させ、欲望を単純に再生産する社会機械だったと考えられます。物や人を相互に交換するサイクルを作り、各人の〝ニーズ〟をその都度満たしていたんですね。さきほどのクラのような感じで、基本的に同じ規模、同じ構成の共同体が再生産されます。

それが専制君主機械が生まれると、各共同体の上に国家が構築され、その領域内の人や物をしっかり確保したうえで、増やし、力を増大させようとするになります。国家という抽象的な存在全体が一つの大きな社会的欲望機械になります。そこでその機械が存在する基盤となる領域を維持・拡大するための軍隊や統治機構、食糧や工芸品の生産機構、文字や度量衡などの表象システムを生み出します。貨幣もその一環です。ドゥルーズ＋ガタリは、貨幣は対等な主体同士の交換ではなく、専制君主的存在を頂点とする国家、専制君主機械を維持するための仕組みとして生まれてきた、というファウスト↓MMT的な見方をしています。

その次の段階に生まれてくる資本主義機械は、国家の枠を超えて「欲望」のネットワークを広げていこうとします。G-W-G´という抽象的な形で自己増殖する「資本」それ自体は、特定の地域や共同体に縛られません。むろん資本主義的生産をするにはどこかの土地に工場を建て、労働者を雇って、富を蓄えねばなりませんが、別に金や銀を国内に溜める必要はなく、「資本」というヴァーチャルな形で溜まっていくので、新しい生産拠点や市場が見つかれば、「資本」だけ移動することができます。

また、労働者を雇うというとき、必要に応じて決まった賃金で募集し、条件に合った個人を雇い、機械を操作する画一的な作業をさせます。彼らの賃金を安く抑えるには一定数の雇われていない人口が必要です。そこで核家族を中心に労働力を再生産する仕組みが生まれます。ドゥルーズたちは、エディプス三角形を軸にした核家族と主体形成の機構（第八回参照）は、資本主義機械の産物だと主張します。初期の「資本」は、国民国家と結び付いていますが、ある程度蓄積されると、いかなる具体的な性格も持たなくていい、計算上の辻褄さえ合っていれば、紙幣とか国債とか株式とかビットコインとかどんな形を取ってもいいという貨幣の抽象的本質を生かし、国境を越えて移動し始めます。グローバル化というのはそういう現象です。

ドゥルーズたちは、それを「脱属領化 déterritorialisation」と表現します。単に土地に縛られないだけでなく、欲望の主体である人間にさまざまな角度から働きかけ、ネット上のゲームとかSNSとか、いろんなヴァーチャルな商品を作り上げ、増殖していきます。前回お話しした、ネグリ＋ハートの『〈帝国〉』は、脱属領化する資本機械が、さらに利潤を生み出すために作り出したネットワークを、世界各地のマルチチュードが協働して乗っ取り、資本主義に抵抗するために利用できるはず、という議論です。

一九八〇年代の後半に、浅田彰★が「パラノからスキゾへ」というキャッチフレーズや「スキゾ・キッズ」という言葉を流行らせましたが、これらはドゥルーズ＋ガタリに由来する概念です。「パラノ」は偏執型、「スキゾ」は分裂型のことです――精神病理としての統合失調症（分裂症）のことではなく、いろんな方向に欲望が拡散する傾向があるということです。さきほどお話ししたように、初期の資本主義は、国民国家の領土内の特定の場所に建てた工場に、労働者を集め、訓練し、生活習慣を身に付けさせないといけません。つまり同じ場所、同じ企業、同じ生活様式に固執する「パラノ」型が好まれるわけです。しかし資本主義がある程度進展すると、人びとの欲望をさまざまな方向から刺激し、さまざまな商品を欲しがるように誘導する必要が生じます。ファンタスマゴリーが重要になるわけです。そうなると同じタイプの人ではなく、さまざまなタイプの人、というより同じ生き方に固執せず、どんどん変化する生き方をする人、ある意味、落ち着

★ 浅田彰
本書五九頁の脚注を参照。

いた大人にならない人、子供のような分裂型が好まれることになります。日本でも一九八〇年代になると、広告・ファッションとか情報サービスなど、欲望刺激系の産業が増え、〇〇デザイナーとか、◇◇コーディネーターというような、実体がよく分からないカタカナ職業が増えてきました。

職業を中心としたアイデンティティが揺らいで、スキゾ型が評価されるようになるのに伴って、エディプス三角形も機能しなくなります。簡単に言うと、サラリーマンであるお父さんが、子供が主体となるためのモデルにならなくなったわけです。お父さんのような平凡な大人ではなく、子供のようにあっちこっち他所見《よそみ》して、いろんなことに手を出すのがいい。そういう意味で「スキゾ・キッズ」と言うわけです。

ポストモダン系の思想の影響を受けた人たちは、「資本」が捉えどころなく拡散し、スキゾ・キッズのような人間が増えてくると、パラノ人間を量産し、組織化することで保たれていた資本主義の基本構造が崩壊する、という期待を寄せている感じがありました。ネグリたちは、グローバリゼーションがどんどん進行した方が資本主義に対抗するネットワークも広がるので、歓迎するという態度を取っていました。昔のマルクス主義者が、資本主義が発展した方が革命のチャンスが早く到来すると考えていたのと同じような感じです。

ただ、その後、グローバリゼーションによる格差拡大が進むわりには、反グローバリゼーションの勢力の結集がそんなに進まないせいで、そういうグローバリゼーション歓迎論は影を潜め、左派のほとんどは反グローバリゼーションに舵を切りました。今ではトランプ★やドゥテルテ★のような右派ポピュリストと、それに左派の多くがグローバリゼーションに対抗して、国民経済を守るというスタンスを取るようになりました。それは哲学的には、各種の商品市場を通じて自らの通用性（Geltung）を生み出す「貨幣 Geld」の自己増殖に歯止めをかけるということです——ドイツ語で貨幣を意味する Geld と、妥当性とか通用性を意味する Geltung は語源が同じです。

人間の欲望のうち、動物としての欲望を超えている部分は自然に制御されているのではなく、社会ごとの仕組み、儀礼や慣習によって制御されているのだと思います。バタイユの言うように、定期的に開かれる儀礼によって溜まった余分なエネルギーを放出しているのかもしれませんし、ポトラッチやクラのようなもので各人の欲望の向かっていく対象をコントロールして、深刻な分裂が起らないようにしているのかもしれません。そうしたコントロールシステムの中核に「信仰」に基づく「信用」があったのだと思いますが、資本主義化の過程で、その「信仰」による拘束を緩め、欲望の進んでいく方向を解放していった。「信仰」に

★ ドナルド・トランプ
一九四六年生。アメリカの実業家、政治家。第四五代大統領。二〇二〇年の大統領選挙で民主党候補のジョー・バイデンに敗れる。

★ ロドリゴ・ロア・ドゥテルテ
一九四五年生。フィリッピンの政治家。第一六代大統領。犯罪者に対して超法規的な殺人や処刑を公言している。

代わって、「貨幣」の「妥当性」が、人びとの間の「信用」を培うようになったわけですが、この「信用」は「貨幣」次第でいかようにも変動していきます。貨幣の支配力は、これから収縮してくのか、さらに拡散していくのか。少なくともその具体的な現われであるグローバリゼーションについては、これまでのように拡大一辺倒ではなくなりそうですね。

会場から

——ＭＭＴについて少し触れられていましたが、それが有効なのか、欲望をコントロールできるのか、またＭＭＴが世界を席巻するのかどうかについて、どうお考えでしょうか。

そう簡単には、赤字で崩壊しないという話は信憑性がありそうな気がします。ただ、徴税能力を持つ国家自体に対する信用は揺るがないという前提で考えているんですね。ＳＦ級の天変地異が起こるとか、大戦争でアメリカが負けるとか、その類のことでも起こらないかぎり、ドルを発行すれば、受け取る人がい続けるだろうと考えています。その前提で考えたら、間違ってはいないのでしょう。ただし、ＭＭＴを主張している人もそれが未来永劫に続くとは言っていないんですね。国家はいつか潰れるかもしれない。

私にとって気になるのは、ＭＭＴは水平的な交換関係の事実ではなく、国家が発行し、国家が受け取ってくれることこそが、貨幣の「信用」に対する信用を生み出していると言っているけれど、どうして「国家」は信用できるのか、ということです。ＭＭＴは赤字国債を出しても証券会社や銀行などがそれを引き受ける仕組みがあると説明するのですが、その証券会社や銀行は顧客あってこその商売で、彼らが全部一斉に潰れてしまえば、崩壊してしまうということになります。そういうのとは違う次元の「国家」の根源的な力、価値の源泉となりうる権威のようなものがあって、それが「信用」を生み出しているという想定があるのでしょうが、それが何なのか、ＭＭＴ論者は語ろうとしません。いっそのこと軍事力とか言ってくれたら分かりやすいのですが。今日の講義の流れに即して、「国家」は「神」の代理なので、国家の保証付きの信用は別格なんだと言ってしまえば話は簡単ですが（笑）、ＭＭＴの人たちは自分たちは合理主義者だと思っているので、そんなこと言わないでしょうね。ただ冗談抜きで、「国家」が存在し続けることに対する「信仰」、自分の属する共同体への信頼が、赤字をいくら出しても国家はつぶれないというＭＭＴ的な想定の根底にあるのではないか、と思います。

――近年、ＡＩの進展でホワイトカラーの仕事がなくなるとか、人間がＡＩの奴隷になるという議論があります。ＡＩの進展は資本主義にどう影響するのでしょうか。

私たちの仕事のかなりの部分がすでにＡＩ頼みになっているのではありませんか。ＡＩを一切使わない、純粋に肉体を動かすだけの仕事をしている人の方が少ないのではないでしょうか。マルクス主義の物象化論とかチャップリン★の『モダン・タイムズ』の発想で考えれば、マルクスの時代からすでに私たちは機械のシステムに使われています。この二十年くらいの間に、インターネット込みのＰＣの発達で、ＰＣを使って作業しているとき、ＰＣの指示してくるガイドラインに従って仕事を進めることが多くなったと思います。しかし、そのわりに仕事は減ったような気がしない（笑）。そう感じている人は多いと思います。

おそらく便利になるとそれを既成事実にして、だったらあれもやってみたいこれもやってみたい、という新たな欲望が生まれ、それが社会的要請にもなるので仕事が増えるのだと思います。大学教員の場合、パワーポイントとかプロジェクターで手軽に使えるものが出てきたし、大学の統合教務システムにいろんな機能が追加されたおかげで、それに対応して授業の準備をすることが求められるよう

★チャールズ・スペンサー・チャップリン
一八八九〜一九七七。イギリス出身のコメディアン、映画俳優、映画監督、プロデューサー。作曲家。代表作に『街の灯』『独裁者』『ライムライト』など。

になったので仕事は増えます。人間が新たな欲望を抱く限り、誰がやるかは別にして、新たな仕事は生まれてきます。これは、文明が始まったときからそうだったのかもしれません。私たちが文字を使わず、自分の住んでいる土地からあまり動くつもりはなく、グルメ度ゼロで、栄養さえ取れればいいという食生活を送り続けているのであれば、ほとんどの仕事は存在しなかったでしょう。AIが今人間がやっているいろんな仕事を担当するにしても、少なくとも欲望を抱く存在としての人間は必要です。私たちが知っているAIは、自分で欲望を抱くことはありません。そのうち、AI自体が欲望を抱いて、アトム化★するかもしれませんが、それまでは、人間が完全に不要になることはありません。ゲームをやることで、欲望開発のサンプルになったり、自分も開発に参加したりする、遊びか仕事か分からないようなことをやる人がもっと増えるかもしれません。

AIによって欲望を操作されるという状態も考えられますが、今までファンタスマゴリーによって欲望を作り出されて来たんだし、私たちの自然な欲望も、自分の意志で「私は○○の欲望がほしい」と思って獲得したわけではないので、そんなに決定的に違うのだろうか、という気がします。

——最後の方で、左派がグローバル化ではない方向に変化しているというお話で

★ アトム
手塚治虫のコミック『鉄腕アトム』の主人公ロボット。ここでの議論は本シリーズ［青版］第4講を参照。

した。少し前に『蟹工船★』が流行したり格差の問題があったりしますが、マルクス主義的なもので現在でも有効な部分はあるのかないのか。あるとすれば、どんなものが現在の社会に対して哲学的に有効でしょうか。

弱者に共感することが左派だとすれば、左派的な言説の役割はそれなりにあると思います。マルクス主義は弱者の苦しみを理解する助けになる、搾取、疎外、物象化などの概念を作り出しました。ただ、資本主義と結び付いた国家を打倒し、強制的に資本主義経済を、計画経済という意味での社会主義経済に変えていくことがマルクス主義の本質だとすれば、それを本気で支持する人は少ないでしょう。マルクス主義は従来、プロレタリアートの国際的連帯というスローガンを掲げ、国民国家の枠を超えていくことを売りにしていましたが、今ではマルクス主義者を含む左派の多くが、とりあえず国民国家の経済を守るという方向に行っています。国際的連帯と国民経済の防衛をどうやって理論的に両立させるのか、それが今後の左派の課題になるでしょう。マルクス主義がそこでちゃんとイニシアティヴをとれないで、どっちの方向にもいい顔をしようとするだけだったら、歴史の遺物になるしかありません。

★『蟹工船』
小林多喜二が一九二九年に発表したプロレタリア文学の代表作。二〇〇八年に「格差社会」が問題視されるのにともなって、『蟹工船』ブームが起こった。

——信用というのはそもそも信仰なんだというお話ですが、そう考えた場合に市場とはなんなのか。私の考えでは、市場というのは絶対的な価値を定める場だったのではないでしょうか。市場の上には神がいて、その出先機関みたいな面もあったのかもしれません。権力者は、絶対的な基準で価値を決めたいから、等価交換の原則を無視して、ポトラッチのような大盤振る舞いをして、自分で価値を決めちゃうんだということです。市場で交換が行なわれるということは、価値というものが実は相対的なんだってことが前提だと思います。今はもう神なんていない時代ですから、価値も相対的なものだという前提でどんどん市場での取引が多様化していて、市場自体が分裂しそうになっています。ビットコインなんて、そもそも別の市場が生まれたということですよね。そういう形で市場が変わってきたのかなと私は思っています。

神への信仰によって物の価値を定めている状態が一番安心ですが、それだと行動範囲が狭まくなります。近代人は特定の神や儀礼に対する信仰から離脱し、「信用」を抽象的なものにし、行動の余地を広めていったけれど、他人との繋がりがないと生きてはいけない。貨幣によって最低限の繋がりをその都度確保しようとする。具体的には貨幣による取引のルールを整備し、国家が大枠で市場を管理できるようにする。しかし、自由度を増そうとすると、そのルールを緩め、どんなヴァーチャルな商品をどういう条件で売ってもいいことにせざるを得ない。そうすると、どういうルールに従って商品が生まれ、値段が付けられ、誰がその影響を受けるのかまったく予想がつかないカオスになる。リーマンショックを超える物凄い連鎖破綻が起こったら、金融のプロでもどうなるか読めないでしょう。国家に破綻処理させようにも、アメリカやEU自体が機能破綻したら、それも無理でしょう。本当にそこまで行ったら、SFの世界です。

MMT支持者にはリベラル左派的な人が多いですが、MMTの理論自体は、崩壊するかもしれないグローバルな資本市場の秩序に対する防波堤として、「国家」に今まで以上の「信用」を寄せようとする、「国家」に対する信仰を取り戻そうというイデオロギーに基づいているのではないかと思います。MMT論者はそんなばかなことあるか、われわれは客観的事実を述べていると言うでしょうが、その手の自己申告ほど当てにならないものはありません。興味深いのは、MMTがビットコインを貨幣と認めないことです。国債を含めた貨幣が通用するのは国家が信用を付与しているからだけど、ビットコインにはそれがなく、水平的な取引の記録しかないから、と言うんです。

——最後に、資本主義の拡散傾向が変わっていくのではないかとおっしゃっていました、これは市民にとっては弱肉強食だけでなく、協調もあるという流れなのでしょうか。それとも別の経済的な理由などがあるのでしょうか。

一般市民の暮らしがよくなるかどうかは別として、金融主導のグローバリゼーションがこのまま一方的に進むのが難しくなって、各国が国内経済優先になっているのは間違いありません。トランプやドゥテルテの登場がその徴候です。左派は彼らの差別的発言や暴力容認には強く反対しているけれど、不本意ながら、反グローバリゼーションや国内経済優先という方向性については同調しつつあると思います。国内経済優先ということは、グローバリゼーションで減少した雇用を国内に取り戻すということですが、それが長期的にうまく行くのか、またプロレタリアートやマルチチュードの国際的協調はどうなるか、というのは別問題です。私は、今は国家をある程度信用しないといけないと思っていますが、「国家」信仰にまで行ってしまうとまずい、とも思います。

とにかく金融中心のグローバリゼーションが進みすぎて、先が見えない。一般庶民に先が見えないのは仕方ないとして、さきほども言いましたが、先が見えてそうな〝プロ〟もいそうにない。格差社会を作り出した〝悪者〟が見えている

――ような気がする――とその人たちの悪口を言ってストレス解消できるし、連中が真相を知っているんだと思うと、何か安心できる。連中に白状させればいいんだから（笑）。ここ二〇年くらい彼らは計算はちゃんとできると思っていたら、意外と計算できてなかった、というようなニュースよく聞きますね。霞ヶ関の官僚が嫌いな人はそれで一瞬喜ぶのですが、あまり連続すると、本当に不安になってくる（笑）。彼らの中で誰か本当にちゃんと計算できている人いるのだろうかと心配になってくる。だからＭＭＴのように、官僚のことを抜きにして、国家それ自体の信用創造能力とインフレ制御能力を信じることを前提にして、なおかつ合理性を売りにする新手の理論が出てきて、ウケる。

現代人は傲慢ですが、自分にはグローバル経済の先行きが分かっていると心から信じているほど、傲慢な人間はそんなにいません。誰かよくわかってる人に頼りたくなる。それが見つけられなくなってきているんですね。そういう不安な状態で、グローバリゼーションと共に膨らみ、多様化し続けた人間の欲望はどうなっていくのか。

ドイツのフランクフルト学派に、シュトレーク★という経済学の論客がいます。邦訳が『時間かせぎの資本主義』と『資本主義はどう終わるのか』の二冊出ていながら、あまり一般的に目立たない人なのですが、本のタイトル通り、資本主義

★ ヴォルフガング・シュトレーク
一九四六年生。ドイツのの社会学者。
主な著作に『時間かせぎの資本主義』
と『資本主義はどう終わるのか』など。

は国家を使いながらいろいろ延命のための戦略を取っているが、それは単に時間稼ぎにすぎず、いつか完全に崩壊するだろう、と予告しています。しかしその後はどうなるのか、何がオルターナティヴになるのかまだ見えてこない、と認めています。普通の左派であれば、かならず国際的な連帯が生まれて、難局を乗る切るとか楽観的な希望を言うのですが、その手のことを言おうとしない。その点では正直で、好感がもてます。

セカイ
世界を変えた建物
絵本のちから

第8講　哲学とエロス——身体と欲望にどう向き合うか

ドゥルシラ・コーネル

『イマジナリーな領域——中絶、ポルノグラフィ、セクシュアル・ハラスメント』

（仲正昌樹監訳、御茶の水書房、二〇〇六年）

現代では「自己決定権」の重要性が声高に主張されながら、実際にはそれがますます困難になっています。本書は、フェミニズム法哲学者が「中絶」「ポルノグラフィ」「セクシュアル・ハラスメント」に焦点を当てながら、ポスト・リベラルな正義論の方途にメスを入れています。

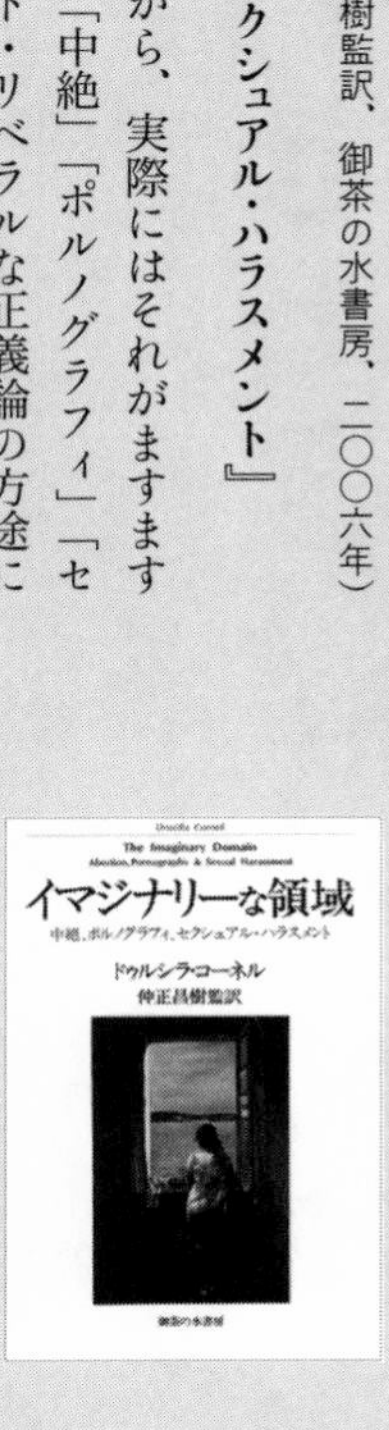

ジークムント・フロイト

『精神分析入門』

（上下、高橋義孝＋下坂幸三訳、新潮文庫、一九七七年）

一九一五年から一七年にかけて、ウィーン大学で行なわれた講義録です。「錯誤行為」「夢／無意識」「神経症」の精密な分析を通して旧来の精神医学から脱し、新たに学問としての精神分析を樹立した記念碑的な一冊。精神分析学にとどまらず、社会や文学にも大きな影響を与えた古典です。

ジュディス・バトラー
『ジェンダー・トラブル　新装版――フェミニズムとアイデンティティの攪乱』（竹村和子訳、青土社、二〇一八年）

女と男の区別が身体性に因るものだという前提を根本から覆し、セクシュアリティ研究の方向を決定的なものにした本書の影響は計りしれません。哲学、精神分析、文学理論などを横断し、分析をくわえながら、権力の言説が、いかに人間の身体、精神、欲望を形成するのかを問うています。

第9講
宗教と哲学――救済は現代人にも必要か

ラインホールド・ニーバー
『新版　光の子と闇の子――デモクラシーの批判と擁護』（武田清子訳、晶文社、二〇一七年）

政治経済の領域で、デモクラシーとマルクス主義という戦後の価値観を支配した二大イデオロギーに批判をつきつけ、「キリスト教的現実主義」の立場から自由と正義を確

立するためには何が必要であるかを鋭く分析しています。本書はバラク・オバマをはじめ、歴代アメリカ大統領に影響を与えてきたそうです。

マイケル・サンデル

『民主政の不満――公共哲学を求めるアメリカ』（上下、金原恭子＋小林正弥ほか訳、勁草書房、二〇一〇年）

「ハーバード白熱教室」で話題になったサンデルの主著です。共和主義の歴史的影響をたどりながらアメリカ憲法の理念を明らかにし、それがアメリカの政治経済の発展にどれほど大きな影響を与えてきたか、また、いかに失われていったのかを検証しています。アメリカ憲政論と公共哲学を論じた上下二冊の大著です。

ユルゲン・ハーバーマスほか

『公共圏に挑戦する宗教――ポスト世俗化世代における共棲のために』（箱田徹＋金城美幸訳、岩波書店、二〇一四年）

現代を代表する四人の知性、J・ハーバーマス、C・テイラー、J・バトラー、C・ウェストによる、宗教をめぐる議論が収録されています。現代では宗教人口の増大とともに、宗教的背景を持った人びととどのように社会や政治を形成するかが問われています。本書では、近代的公共圏とデモクラシーを再検討することで、その方途を探ります。

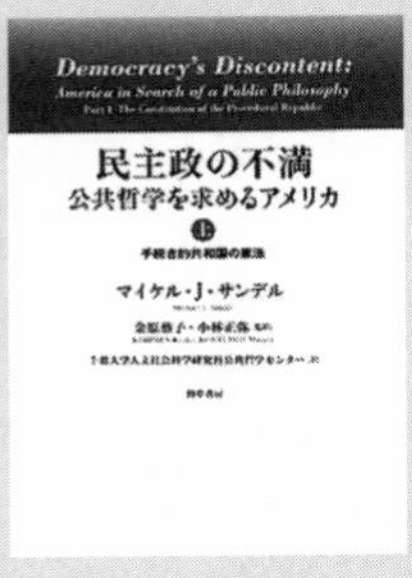

マイケル・ウォルツァー
『正しい戦争と不正な戦争』
（萩原能久訳、風行社、二〇〇八年）

正当な原因を持つ戦争だけを合法的なものと認める「正戦論」についての古典的著作です。戦争は緊急事態だから正義を議論しても意味がないとする「軍事的リアリズム」と、いかなる場合も戦争を悪とする「絶対平和主義」の双方を排し、戦争の道徳的現実を政治哲学の視点から論じています。

ジョン・ロールズ
『万民の法』
（中山竜一訳、岩波書店、二〇〇六年）

ロールズ晩年の主著となる本書は、カントの「永久平和論」を媒介としながら、平和と正義に満ちた国際社会の原理を構想する試みです。リベラルであってもなくても参加可能な国際社会はどのように構築できるのか。正義の戦争は正当化できるのか。現代社会に必要な問いにあふれています。

井上達夫

『世界正義論』（筑摩選書、二〇一二年）

現代世界では、自国に有利な「正義」が声高に主張され、冷戦後に覇権を握った超大国アメリカの論理や哲学が世界を跋扈しています。また、政治体制や宗教などによっても「正義」は異なり、真の「正義」は相対化されています。そんな時代にはたして国境を越えた「世界正義」は可能なのかを、法哲学の立場から考える一冊です。

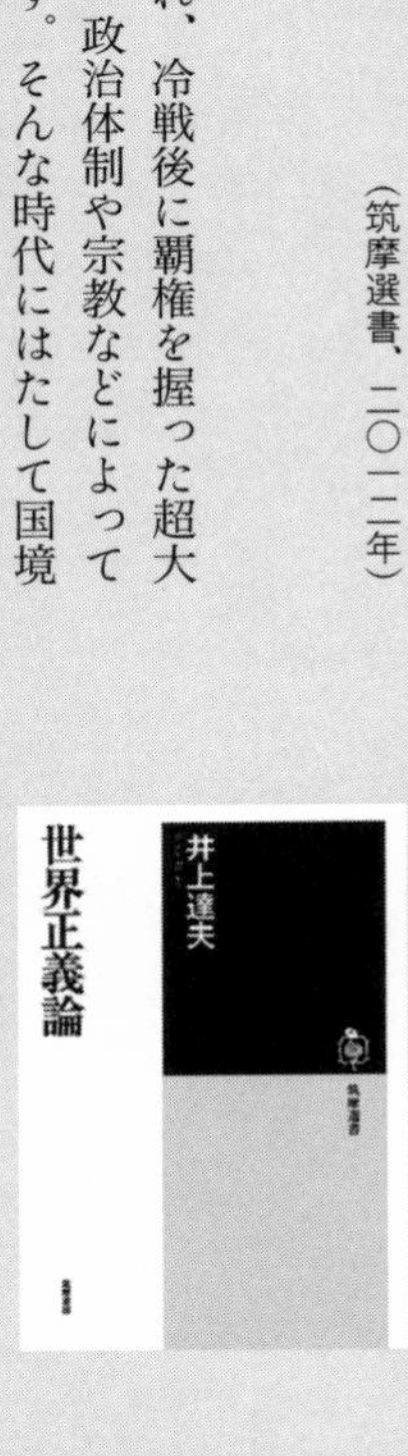

第11講 資本主義は終わるのか

アントニオ・ネグリ＋マイケル・ハート

『〈帝国〉――グローバル化の世界秩序とマルチチュードの可能性』（水嶋一憲ほか訳、以文社、二〇〇三年）

一九九〇年に勃発した湾岸戦争以後のグローバル化によって、国民国家は衰退しましたが、その帰結として新たに出現した世界秩序＝「帝国」についての理論的考察です。マルクス、アーレントなどの思想家やポストコロニアル理論などを駆使しながら、二一世紀的な世界支配の構造を解明しようとする試みです。

ヴォルフガング・シュトレーク

『時間かせぎの資本主義——いつまで危機を先送りできるか』

（鈴木直訳、みすず書房、二〇一六年）

現代世界は、一九七〇年代の高度成長の終焉と新自由主義の隆盛を経験して、政治的・経済的な危機を迎えています。この危機は民主主義を解体しようとしていますが、はたしてその危機はいつまで先送りできるのか、そして民主主義は資本主義をコントロールすることが可能なのか、というユニークなテーマを論じている本です。

L・ランダル・レイ

『MMT現代貨幣理論入門』

（島倉原監訳、東洋経済新報社、二〇一九年）

停滞する世界経済のカンフル剤として注目されているのがMMT（現代貨幣理論）です。財政赤字や国債残高を気にすることなく貨幣を製造し続ければ景気が回復するのか。国債を発行すれば、経済を適正水準にし、完全雇用と物価安定を実現できるのか。こうした問いを議論するための入門書です。

仲正昌樹
Masaki NAKAMASA

哲学者、金沢大学法学類教授。
一九六三年、広島県呉市に生まれる。
東京大学大学院総合文化研究科地域文化専攻研究博士課程修了（学術博士）。
専門は、法哲学、政治思想史、ドイツ文学。
難解な哲学書を分かりやすく読みとくことに定評がある。
著書に、
『危機の詩学――ヘルダリン、存在と言語』（作品社）、
『歴史と正義』（御茶の水書房）、
『今こそアーレントを読み直す』（講談社現代新書）、
『集中講義！　日本の現代思想』（ＮＨＫブックス）、
『ヘーゲルを越えるヘーゲル』（講談社現代新書）、
『統一教会と私』（論創社）など多数。
訳書に、
ハンナ・アーレント『完訳 カント政治哲学講義録』（明月堂書店）など多数。

哲学JAM

現代社会をときほぐす

[白版]

著者　仲正《なかまさ》昌樹《まさき》

発行者　下平尾直

発行所　株式会社 共和国 editorial republica co., ltd.

東京都東久留米市本町三-九-一-五〇三

郵便番号二〇三-〇〇五三

電話・ファクシミリ 〇四二-四二〇-九九九七

郵便振替 〇〇一二〇-八-三六〇一九六

http://www.ed-republica.com

協力……石引パブリック(砂原久美子+中島日和+南唯乃)

福島利之(読売新聞)

装画……田内万里夫

ブックデザイン……宗利淳一

DTP……岡本十三

印刷……モリモト印刷

二〇二一年九月二五日初版第一刷印刷

二〇二一年一〇月五日初版第一刷発行

本書の内容およびデザイン等へのご意見やご感想は、
以下のメールアドレスまでお願いいたします。
naovalis@gmail.com

ISBN978-4-907986-80-3　C0010　©Nakamasa Masaki 2021　©editorial republica 2021